LE TESTAMENT DU PROFESSEUR ZUKERMAN

DU MÊME AUTEUR

Le Jardinier de monsieur Chaos, roman, Montréal, Hurtubise, 2007.

Le Violoncelliste sourd, roman, Montréal, Hurtubise, 2008.

La Noyade du marchand de parapluies, roman, Montréal, Hurtubise, 2010. Grand Prix du livre de la Montérégie 2011 (Prix spécial du jury). Prix des Écrivains francophones d'Amérique 2011.

FRANCIS **MALKA**

LE TESTAMENT DU PROFESSEUR ZUKERMAN

amÉrica

Hurtubise

Catalogage avant publication de Bibliothèque et Archives nationales du Québec et Bibliothèque et Archives Canada

Malka, Francis

Le Testament du professeur Zukerman

(AmÉrica)

ISBN 978-2-89647-869-9

I. Titre. II. Collection : AmÉrica (Montréal, Québec).

PS8626.A447T47 2012 C843'.6 C2012-940069-6
PS9626.A447T47 2012

Les Éditions Hurtubise bénéficient du soutien financier des institutions suivantes pour leurs activités d'édition :

- Conseil des Arts du Canada ;
- Gouvernement du Canada par l'entremise du Fonds du livre du Canada (FLC) ;
- Société de développement des entreprises culturelles du Québec (SODEC) ;
- Gouvernement du Québec par l'entremise du programme de crédit d'impôt pour l'édition de livres.

Conception de la couverture : René St-Amand
Photo de la couverture : Brandon Alms, Shutterstock.com
Mise en pages : Andréa Joseph [pagexpress@videotron.ca]

ISBN 978-2-89647-869-9 (version imprimée)
ISBN 978-2-89647-870-5 (version numérique PDF)

Dépôt légal : 1er trimestre 2012
Bibliothèque et Archives nationales du Québec
Bibliothèque et Archives Canada

Diffusion-distribution au Canada :
Distribution HMH
1815, avenue De Lorimier
Montréal (Québec) H2K 3W6
www.distributionhmh.com

Diffusion-distribution en France :
Librairie du Québec / DNM
30, rue Gay-Lussac
75005 Paris FRANCE
www.librairieduquebec.fr

Imprimé au Canada
www.editionshurtubise.com

À Chloé,
Si déterminée et si fragile

Première lettre

Le 27 octobre

David,

Si tu lis cette lettre, c'est que je suis mort. J'aurais préféré qu'on se revoie en de meilleures circonstances, mais les événements en ont voulu ainsi.

Si tu lis cette lettre, c'est – bien évidemment – que tu es vivant. Il est après tout dans l'ordre des choses qu'un fils survive à son père. Je n'aurais pas voulu qu'il en soit autrement.

Je ne comprends cependant pas comment les choses en sont arrivées là. Ne t'attends pas, en lisant ce texte, à découvrir comment j'ai perdu la vie. Si seulement je savais quand et comment la mort me trouvera, je courrais bien sûr la déjouer plutôt que de la décrire bêtement sur cette page.

J'imagine ta surprise lorsque, après mon décès, le notaire Delordre t'a contacté pour te remettre une enveloppe. La raison en est fort simple : j'ai besoin de ton aide. Tout cela doit te sembler bien étrange.

En quoi peux-tu bien m'être utile, te demandes-tu, surtout si je suis mort? Laisse-moi t'expliquer.

Depuis plusieurs mois déjà, des événements plus bizarres les uns que les autres sont venus perturber mon existence. Dans les premiers temps, je les ignorais, les reléguant au rang de simples faits divers. Il ne s'agissait après tout que de petits incidents sans lien apparent, qui avaient pour seule particularité d'être de plus en plus nombreux. Mais voilà, les incidents se sont maintenant accumulés au point où je ne peux plus croire à la coïncidence.

Je crains maintenant pour ma vie.

À tel point que j'ai aujourd'hui entrepris de t'écrire ce texte. Aussitôt que j'en aurai terminé la rédaction, je courrai le remettre au notaire Delordre. Si je devais par la suite tomber gravement malade, j'ordonnerais à ce dernier de le détruire immédiatement afin d'éviter qu'il ne parvienne jusqu'à toi. Le fait que tu lises ces lignes est donc la preuve que je ne suis pas mort naturellement.

J'ai besoin de ton aide pour éclaircir les circonstances entourant ma mort, qui seront, je crois, assez complexes pour étourdir les meilleurs enquêteurs et assez stupéfiantes pour que personne n'y croie. Seule une personne en laquelle j'ai pleinement confiance, guidée par les indices que je lui remettrai, parviendra à faire la lumière sur mon décès.

Je sais que nous ne nous sommes pas parlé depuis maintenant plusieurs années, ce qui doit rendre cette requête encore plus étrange à tes yeux.

Mais ce long silence n'a en rien altéré ma confiance en toi. J'ai regardé autour de moi et je crois que mes enfants sont les mieux à même de résoudre cette énigme.

Si tu acceptes de me venir en aide, cette lettre sera la première d'une longue série de missives que te remettra Me Delordre. Chacune contiendra des instructions précises que tu devras suivre méthodiquement afin d'avoir accès à la suivante.

Maître Delordre est en ce moment même dans son bureau en train de lire les instructions que je lui ai remises. S'il a bien suivi mes consignes, tu te trouves maintenant dans la salle attenante, à quelques mètres de lui, derrière une porte close. Il s'agit d'une petite salle de conférence sans fenêtre dont les murs sont ornés de boiseries et dont les chaises grincent. Comme tu vois, je n'ai rien laissé au hasard.

Je tiens à m'excuser à l'avance pour tout ce que je m'apprête à te demander. Tu as, après tout, le droit de vivre le deuil de ton père en toute sérénité. Rien ne t'oblige d'ailleurs à acquiescer à ma demande. Personne, moi le dernier, ne te reprochera de vouloir pleurer ma mort en paix. Si tel est ton désir, tu n'as qu'à le signifier à Me Delordre, qui cessera immédiatement de t'importuner.

Si, par ailleurs, tu décidais de m'aider, il te suffirait simplement d'aller trouver le notaire et de l'informer de ton acceptation. Il te remettrait alors une autre lettre contenant les directives à suivre.

Tu dois savoir qu'une lettre semblable était adressée à ta sœur. Le notaire Delordre avait instruction de la contacter en premier, car elle connaissait mes projets de recherche de très près. Si tu lis cette lettre, c'est donc que le notaire a été incapable de la joindre ou qu'elle n'a pas été en mesure de répondre à ma requête.

Le contenu et l'existence même de cette lettre et des suivantes devront rester strictement confidentiels. Comprends bien que j'ignore encore les circonstances de ma mort, de même que le nom de ceux qui en seront responsables. Si la moindre information que je te transmets devait par mégarde parvenir aux oreilles des personnes impliquées, cela leur permettrait de voir venir les événements et de nous échapper.

Je t'en supplie, David, acquiesce à ma demande. C'est la dernière chance que j'ai de ne pas sombrer dans l'oubli.

Sinon, sache que je t'adore et te souhaite une vie remplie de bonheur.

À bientôt, peut-être,

Ton père

Deuxième lettre

Le 28 octobre

David,

Tu as accepté ! Quelle bonne nouvelle ! Tu n'as pas idée de la joie que ça me procure – ou enfin que ça me procurerait si j'étais encore vivant. Bref, tu comprends.

J'ai maintenant espoir qu'on découvre un jour ce qui m'est arrivé.

Je sais que tu es familier avec la nature des travaux que je poursuis au laboratoire, mais permets-moi de les relater ici point par point, car ces derniers sont directement liés aux événements qui me préoccupent. Chaque détail a son importance.

Il y a déjà plusieurs années que j'ai eu l'idée de cette expérience insensée. Dès les premiers temps, sa seule mention générait dans mon entourage une réaction allant du silence incrédule au rire étouffé. Ceux qui croyaient le problème insoluble me disaient fou de tenter l'impossible. Les autres me croyaient déséquilibré parce que, si je devais contre toute attente réussir, il se trouverait alors un grand nombre de personnes à souhaiter ma mort.

J'allais, après tout, tenter d'élucider un des plus grands mystères de tous les temps: l'apparition de la vie sur Terre. Pour résumer l'expérience en quelques mots, j'allais mettre dans une fiole quelques éléments du tableau périodique en espérant y retrouver plus tard un organisme vivant. Rien de moins.

Je pense que tu m'as toi-même longtemps cru un peu désaxé. Dès ton jeune âge, quand un ami te demandait l'occupation de ton père, tu prétendais, accablé d'une gêne insurmontable, être le fils d'un funambule ou encore d'un réparateur de guillotine. Ces esquives me faisaient sourire, mais je savais qu'elles cachaient un profond malaise.

Inversement, ta sœur trouvait amusante mon excentricité et criait à qui voulait l'entendre qu'elle était la fille du professeur Tournesol.

J'ai découvert la même réaction d'incrédulité chez mes confrères, pour qui il était tellement plus facile – et ô combien plus rentable – d'appliquer la chimie organique à l'élaboration d'une nouvelle crème de soin pour la peau à la fragrance enivrante ou à la confection d'un savon qui ne glisse pas entre les mains. Sans compter le regard hautain de ceux qui, travaillant à la mise au point d'un vaccin contre le sida ou un remède à la malaria, reléguaient mes ambitions au rang de caprice intellectuel.

«Imaginons que tu réussisses à recréer la vie dans ton éprouvette, me lança l'un d'entre eux avec défiance, que se passera-t-il ensuite ? L'humanité s'en portera-t-elle mieux ? Combien de gens auras-tu sauvés de la mort ou même simplement éloignés de la maladie ? Ne recherches-tu pas ici la gloire scientifique au détriment de tout bénéfice pour tes semblables ? Consacre plutôt tes connaissances et ton talent à une cause utile. »

C'étaient les commentaires de ces derniers, bien plus que ceux des fabricants de savon, qui m'irritaient le plus. N'avaient-ils aucune curiosité ? Ne voulaient-ils pas savoir quelle suite d'événements, improbables ou inévitables, avait rendu possible leur propre existence ? Y avait-il un Dieu ? Et, dans l'affirmative, quand et comment avait-il touché la Terre du doigt ? Et si tout s'expliquait sans ce Dieu, n'était-ce pas là une réponse encore plus satisfaisante à la question que se posent tous les hommes ? Mes confrères travaillaient dans leur laboratoire à créer des composés capables d'anéantir des organismes microscopiques qu'ils jugeaient nuisibles, sans même comprendre comment ces organismes – et, incidemment, eux-mêmes – étaient apparus en premier lieu. Ajouter quelques jours à la longévité moyenne de l'Homo sapiens était-il d'un intérêt tellement supérieur à la démystification de notre présence sur cette planète ? La seule idée que l'explication la plus répandue de l'apparition de la vie soit l'histoire d'un serpent offrant une pomme à une femme me donne encore à ce jour de violents frissons. Je concède que j'ai préféré m'attaquer à la bêtise plutôt qu'aux bactéries, mais sans cette explication, tout le travail de l'homme de science ne servirait qu'à prolonger la vie d'une espèce d'ignorants. Et ce serait là un crime bien plus grand que l'absence de la mince contribution que j'aurais autrement pu apporter à la confection d'un quelconque vaccin.

Pardonne-moi si je m'énerve un peu ici, mais le simple fait de décrire ces événements me les fait revivre malgré moi.

Là, voilà, j'ai repris mon calme. Continuons.

Loin de me décourager, l'incompréhension de mon entourage m'a forcé à entreprendre mes recherches seul. Infatigable rat de bibliothèque, j'ai préparé mes travaux en fouillant dans tous les ouvrages que j'ai pu me mettre sous la main, des livres de référence en biochimie aux thèses de doctorat les plus obscures. J'ai passé des années ainsi terré dans le sous-sol de la maison. Je pense d'ailleurs qu'il est toujours encombré de toutes les étagères que j'ai à l'époque remplies de bouquins. Si mes recherches aboutissent un jour, on en fera sans doute un musée. Dans l'alternative, que d'arbres gaspillés, qu'on recyclera sans doute en boîtes de savon.

Tu n'étais à ce moment-là qu'un gamin. Tu ne dois pas t'en souvenir. Enfin, j'espère que non. Je n'ai pas toujours été un père très présent.

Il se fait maintenant tard et je dois interrompre ici l'écriture de cette lettre. Je la remettrai à

Me Delordre dès demain matin. La seule protection que j'aie contre la mort est d'écrire furieusement et fréquemment. Ainsi, le jour où elle me trouvera, Me Delordre aura entre les mains des instructions toutes fraîches relatant mes découvertes de la veille.

Je continuerai à écrire demain soir. Tu n'as qu'à lui demander la lettre suivante.

À plus tard, David,

Ton père

Troisième lettre

Le 29 octobre

Tu me pardonneras les parenthèses occasionnelles, mais puisque je te parle à travers ces lettres pour la dernière fois, permets-moi de te raconter certains événements qui ont façonné ta vie et que je n'ai jamais trouvé l'énergie de te relater de vive voix.

Le premier concerne ta mère. Elle n'a jamais compris l'objectif ni même la teneur de mes recherches. Je ne lui en veux pas. Elle m'observait parfois pendant de longs moments, convaincue que j'ignorais sa présence, tandis que j'étais absorbé dans une lecture ardue ou dans la transcription frénétique d'un passage intéressant. Incapable de se projeter dans mes pensées ni de partager mon excitation, elle avait parfois l'impression qu'un étranger logeait dans sa maison. Lorsque l'incompréhension était à son comble, elle exhalait un long soupir, se demandant pourquoi elle avait épousé un illuminé plutôt qu'un plombier.

Quand, au hasard de mes travaux, mon regard croisait le sien, je pouvais y lire une interrogation intense: «Qui est cet homme qui me regarde et où est passé celui que j'ai rencontré?»

Tu n'as jamais su pourquoi nous nous sommes séparés – tu étais si jeune. Avec le recul, il est difficile de mettre le doigt sur un événement déterminant, un instant avant lequel nous nous aimions et après lequel nous nous sommes perdus de vue. Ce fut plutôt une suite interminable de petites fractures qui, au fil du temps, ont fait que là où il y avait un couple se trouvaient maintenant deux individus.

Un soir, en arrivant à la maison, ta mère a été assaillie par une forte odeur d'alcool. Persuadée que je m'enfermais au sous-sol pour y boire, elle a dévalé l'escalier en trombe. Je me terrais là depuis des semaines, emplissant page après page de notes, ensevelissant au passage l'établi, les bicyclettes, les skis et le mobilier de sa mère sous une montagne de papiers. Cependant, dès qu'elle a vu une éprouvette, ta mère m'a demandé de poursuivre mes expériences hors de la maison. Ses connaissances limitées de chimie organique lui faisaient redouter une explosion à la simple vue de quelques bulles à la surface d'un bécher.

J'ai alors déménagé mes papiers et mes fioles dans le petit local au-dessus de la quincaillerie, à quelques coins de rue de la maison. En un sens, j'étais plus près d'elle là-bas qu'au sous-sol, car nous vivions dorénavant à la même altitude.

Aveuglé par mes recherches, j'ai vécu cette lente dérive sans voir poindre l'inévitable.

Tu te demandes sans doute qui, d'elle ou moi, a rompu la relation. En fait, ça n'aura été ni l'un ni l'autre. Depuis le déménagement de mon laboratoire hors de la maison – un bien grand mot pour décrire les quelques flacons que je possédais à l'époque –, nous nous croisions de moins en moins souvent. Et nous échangions si peu de paroles pendant nos quelques heures de vie commune que c'est le silence qui a finalement eu raison de nous.

Quel drôle d'animal que le silence ! Qui a eu l'étrange idée d'inventer un mot pour décrire l'absence de mots ? À le pratiquer, on comprend cependant à quel point il est lourd à porter, si bien qu'on dialogue la plupart du temps simplement pour le chasser.

Ta mère et moi nous sommes donc séparés sans rupture et nous sommes quittés sans adieux. Le film s'est déroulé avec une telle lenteur, la passion s'est éteinte si sournoisement qu'aucun de nous deux n'a versé une larme.

Au cours des années qui ont suivi, j'ai perçu progressivement que tu me reprochais l'éclatement de la famille. « Nous serions sans doute encore ensemble tous les quatre, me disais-tu, si tes maudites expériences n'étaient pas venues tout foutre en l'air. » Je sais que tu m'en veux encore à ce jour.

C'est d'ailleurs une des raisons pour lesquelles nous ne nous parlons plus.

Bon, le sommeil me gagne. Je m'interromps ici.
À demain,

Ton père

Quatrième lettre

Le 30 octobre

Je pensais t'écrire pour te parler de ma mort, mais c'est ma vie que je te raconte. Je te décris cet épisode et les suivants même si tu en sais la conclusion, car il te faut connaître toutes les facettes des acteurs qui ont joué dans ce drame, surtout ceux dont le rôle semble de prime abord secondaire. Je ne peux te donner trop de détails sur le déroulement des événements ni sur les traits de caractère des différents personnages – nombreux sont ceux que tu n'as jamais rencontrés. Tu seras à même d'élaguer les éléments superflus et de retenir les détails importants à la lumière des circonstances de ma mort.

Revenons-en aux événements qui nous intéressent.

Mes recherches initiales m'ont rapidement permis de conclure que je ne parviendrais pas à mener mes expériences seul. J'allais avoir besoin d'une équipe de chercheurs et d'un laboratoire considérablement mieux outillé que ce que je pouvais financer par mes propres moyens.

J'allais devoir trouver de l'argent. Beaucoup d'argent.

Incapable de dénicher un mécène assez fou pour financer mon projet, j'ai décidé de me tourner vers les compagnies pharmaceutiques. Non seulement avaient-elles l'expertise, les locaux et l'équipement dont j'avais besoin, mais elles étaient immensément riches.

Après quelques tentatives infructueuses, ma quête m'a mené chez Genetix, une des plus grandes entreprises pharmaceutiques au pays. Sur place, la réceptionniste m'a guidé à travers un dédale de corridors et d'ascenseurs, pour finalement m'inviter à prendre place dans le bureau de Ricardo Bellini, un vice-président dont le titre occupait trois lignes.

— Que puis-je pour vous, professeur Zukerman ? m'a-t-il demandé en m'indiquant de m'asseoir dans le fauteuil lui faisant face.

— Je cherche un financement pour un projet qui va bouleverser le monde de la biologie.

— Ah ! Un nouveau médicament ! a-t-il répondu d'un ton satisfait. Nous sommes toujours à la recherche de pistes originales permettant de mettre au point de nouveaux produits.

— Heu… pas tout à fait, ai-je répondu avec hésitation.

— Alors de quoi s'agit-il ?

— Voyez-vous, je tente de recréer les conditions qui ont permis à la vie de faire son apparition sur Terre.

À ce moment, une mouche a volé dans la pièce et s'est posée sur le rebord de la tasse de café de Bellini. Pendant ce qui a semblé être une éternité, elle a collecté avec ses mandibules les particules précipitées à l'intérieur du récipient et les a portées à sa bouche. Médusé, j'observais la vitesse à laquelle…

— Professeur Zukerman ! a lancé Bellini pour me ramener dans la pièce. Avez-vous étudié les aspects commerciaux de votre projet ? Qui sont vos clients potentiels ? Quelle est la taille du marché cible ?

— Heu… pas vraiment. Ces aspects du projet me rebutent quelque peu. En fait, je ne crois pas qu'il y ait de clients potentiels.

— Je vois. Laissez-moi vous communiquer quelques chiffres afin de vous aider à saisir l'inutilité de votre présence dans mon bureau. Dans mon métier, un médicament qui échoue commercialement peut générer des ventes de quelques dizaines de millions de dollars. Un succès se chiffre en milliards. Nous avons une douzaine de produits qui connaissent un grand succès commercial. Et vous osez me proposer une idée qui ne rapportera rien !

La mouche avait entre-temps quitté la tasse pour se poser sur le clavier du téléphone. Il l'a chassée d'un geste nerveux, puis a décroché le combiné avec impatience. L'index tendu, il s'apprêtait à enfoncer le bouton fatidique qui allait inviter la réceptionniste à venir me cueillir gentiment.

— Attendez! lui ai-je lancé dans un élan de désespoir.

Exaspéré, Bellini a déposé le combiné. Il m'écoutait les bras croisés. Je savais mes instants comptés.

Pendant notre brève conversation, j'avais remarqué la richesse de la décoration et de l'ameublement de son bureau. Vice-président d'une multinationale très rentable, il devait vivre dans l'opulence. Sans aucune hésitation, j'aurais échangé chacune de ses bagues aux pierres démesurées contre une centrifugeuse ou un séquenceur d'ADN. La vente d'un quelconque bibelot amassant la poussière sur son étagère aurait suffi à financer mes travaux pendant des semaines. Ce n'était donc pas par le portefeuille que j'allais le convaincre. Je devais lui proposer quelque chose que l'argent ne pouvait acheter.

— Monsieur Bellini, ai-je repris sur un ton posé, nous sommes, vous et moi, des êtres bien différents l'un de l'autre: vous mesurez les événements en dollars et moi en joules. À chacun son échelle. Les historiens ont également la leur, qui leur permet de consigner dans leurs livres le nom d'hommes qui ont accompli de grandes choses. On se rappelle aujourd'hui non seulement le nom de génies qui ont composé des symphonies ou créé de nouveaux médicaments, mais également celui des visionnaires qui ont rendu ces exploits possibles. Vous n'avez qu'à penser à la bienfaitrice qui a soutenu financièrement Tchaïkovski pendant toutes ces années, ou encore au président qui a permis à la Nasa d'envoyer un homme sur la Lune. Ils ont marqué l'histoire sans avoir écrit la moindre note de musique ni mis le pied dans une fusée. Si nous réussissons à recréer la vie dans un de vos laboratoires, l'histoire se souviendra de Ricardo Bellini comme celui qui a cru en ce projet insensé, celui sans qui nous serions un peu plus ignorants. Oubliez un instant les états financiers de Genetix et prenez un peu de recul. La mise en marché d'un médicament de plus ne changera que très peu de chose à votre vie, tandis que l'explication de l'apparition de la vie fera de vous un grand homme. Pour ce faire, je n'ai besoin que d'un petit laboratoire et de deux assistants. Si nous échouons, vous camouflerez habilement ces modestes dépenses parmi celles de projets cent fois plus gros. Par contre, si nous réussissons, vous pourrez crier sur les toits que c'est sous votre impulsion que Genetix a permis à la science de faire un pas de géant. Vous avez énormément à gagner et peu à perdre.

Bellini a légèrement décroisé les bras. La mouche s'est posée sur la monture de ses lunettes. Il est resté ainsi une longue minute, immobile, à fixer l'horizon derrière moi. L'espace d'un instant, j'ai cru déceler, à travers la lumière réfléchie sur les verres de ses lunettes, la silhouette d'un buste à son effigie.

— Je vous remercie de votre visite, a-t-il conclu en enfonçant un bouton sur le clavier du téléphone. Nous vous recontacterons.

Sur ces mots, la réceptionniste a fait irruption dans le bureau et m'a poliment escorté jusqu'à la sortie.

Une semaine plus tard, un directeur de projets se rapportant à Bellini m'a contacté. J'avais mon laboratoire et mon équipe.

J'arrête ici et je te souhaite une bonne nuit.

Ton père

Cinquième lettre

Le 31 octobre

Tu étais trop jeune, à l'époque où mon laboratoire occupait le haut de la quincaillerie, pour que tu puisses te souvenir de quoi que ce soit. Tu peux cependant imaginer à quel point le déménagement chez Genetix a transformé mon projet.

Le nouveau laboratoire, situé au deuxième étage d'un édifice en comptant six, était éclairé par deux murs abondamment fenêtrés: le premier donnait sur le stationnement et le second sur un immense champ bordé par un boisé se trouvant au sud. La lumière artificielle des néons n'était nécessaire que lorsque nous travaillions le soir.

Je n'ai mis qu'un mois à m'installer confortablement. J'ai d'abord commandé tous les appareils et toutes les pièces d'équipement, que les fabricants se sont empressés de livrer, assembler et raccorder selon mes indications. Je n'avais qu'à indiquer les emplacements de l'index, tel un roi régnant sur ses sujets. Après deux semaines, j'avais déjà dilapidé le quart du budget total. Je ne m'en inquiétais pas outre mesure, car les dépenses les plus importantes étaient maintenant derrière moi.

J'ai passé un long moment à travailler seul dans mon nouveau laboratoire. Je voulais être fin prêt avant de faire grossir l'équipe. Une fois le protocole expérimental et l'équipement bien au point – et surtout, une fois que je saurais exactement ce que je cherchais –, je ferais signe à Ricardo Bellini de transférer un ou deux techniciens de laboratoire dans mon équipe.

C'est ce que j'ai fait trois ans plus tard.

Pour marquer le moment de la création de l'équipe de recherche, Bellini a émis un communiqué de presse dévoilant le projet au public : « Genetix tente d'expliquer l'origine de la vie ». Sous ce titre pompeux, le communiqué laissait filtrer quelques informations sur moi et sur les ambitions de l'équipe, dont quelques extraits se sont frayé un chemin jusque dans les journaux.

Le lundi suivant ma demande, un jeune homme assis sur un tabouret attendait patiemment mon arrivée. Ses cheveux longs et dépeignés cachaient mal sa maigreur. Ses articulations, ses pommettes et son nez saillaient de toutes parts comme autant de pointes osseuses lui tendant la peau, le tout lui conférant vaguement la silhouette d'un animal issu du croisement entre une vadrouille et un oursin.

— Professeur Zukerman ! a-t-il lancé avec un fort accent britannique. On m'a beaucoup parlé de vous.

— Enchanté. Et vous êtes… ?

— Jeffrey Hatfield. Appelez-moi Jeff. On m'a dit de me rapporter à vous et de… attendez que je consulte la note… ah, oui… vous assister dans vos expériences sur l'apparition de la vie.

Le jeune homme avait l'excitation du jeune gradué entamant son premier projet en entreprise. Je me suis soudain rappelé avoir moi-même ressenti la même fébrilité innocente plusieurs années auparavant.

— On ne m'a dit que très peu de chose sur votre projet, a-t-il ajouté sur un ton intrigué.

— Alors vous en savez autant que moi !

— Vous voulez dire que vous n'avez pas encore commencé ?

— Tout est à faire.

— Ah ! Je vois, a-t-il laissé échapper en se rasseyant. D'après la description qu'on m'a faite du protocole expérimental, la tâche semble insurmontable. Quand saurons-nous que nous avons réussi ?

Je me suis alors retourné vers l'immense cuve en verre qui occupait tout l'espace central du laboratoire. Il s'agissait d'un cylindre parfaitement étanche dont j'avais dessiné les plans. Le haut de la cuve, fermé par un gigantesque couvercle d'acier pesant environ une tonne, me dépassait d'une tête. Seule une grue au bras monstrueux, installée en permanence à côté du réservoir, permettait d'en retirer le couvercle et, d'un mouvement d'un quart de tour autour de son axe, d'en dégager l'ouverture. À côté de la cuve, un long bras robotisé permettait de saisir des objets et de les déposer à l'intérieur de la cuve ou, inversement, de les en sortir. Ce bras, tout en ayant la capacité de soulever de lourdes charges, allait nous éviter d'entrer en contact avec les objets qui allaient participer à la réaction.

— Vous voyez ce réservoir ? lui ai-je demandé en étendant la main en direction de la cuve.

— Oui. Il est vide.

— Pour le moment. Nous n'avons le droit d'y introduire que des molécules simples. Nous aurons atteint notre objectif lorsqu'il y aura de la vie à l'intérieur.

Jeff a eu un léger mouvement de recul.

— Puis-je me permettre une question naïve ?

— Aucune question n'est trop naïve pour être posée ici, ai-je répondu. Ce sont d'ailleurs les plus redoutables. Je vous écoute.

— Qu'est-ce que la vie ? Ça peut vous sembler étrange, mais j'ai étudié la chimie organique jusqu'au doctorat sans jamais obtenir une réponse satisfaisante à cette question.

— Bien visé. La réponse est aussi complexe que la question est simple. Commençons par la négative. La présence de la vie n'est pas attribuable, comme on serait tenté de l'imaginer de prime abord, à la capacité qu'a un organisme de croître, de se nourrir, de se mouvoir ou de réaliser la photosynthèse. Mais avant de poursuivre ma réponse, laissez-moi à mon tour vous poser une question pour vous démontrer à quel point la ligne entre le vivant et le non-vivant est floue. Considérez-vous les virus et les bactéries comme des organismes vivants ?

Jeff s'est recueilli quelques instants.

— Les bactéries sont évidemment des organismes vivants, a-t-il lancé après réflexion. J'aurais tendance à dire que les virus n'en sont pas, sans toutefois pouvoir vous expliquer pourquoi.

— Tentez tout de même de préciser votre pensée.

— Je ne sais pas. J'imagine que les virus ne forment pas une cellule proprement dite, avec une membrane et un noyau. Ils sont plutôt des parasites, qui s'insèrent sournoisement dans le cycle de reproduction d'une autre cellule. Ils n'ont pas un code génétique complet, mais seulement une poignée de nucléotides capables d'interagir avec les gènes d'un autre organisme. Ce ne sont pour moi que des molécules complexes, pas des organismes vivants.

— Votre corps n'est-il pas lui-même un assemblage de molécules complexes qui interagissent avec d'autres organismes vivants ? Quand vous montez sur la balance, la majeure partie de votre poids est attribuable à l'ensemble des micro-organismes vivant en vous plutôt qu'à la masse de vos propres cellules. Voyez vous-même à quel point la distinction est subjective. Vous savez sans doute que la vie est apparue bien avant l'ADN. À l'échelle de l'évolution, la double hélice telle que nous la connaissons aujourd'hui est même une invention tardive. Pour les fins de notre expérience, je définirai simplement un être vivant comme une entité capable de se reproduire.

— Alors quelle est cette entité énigmatique que nous allons tenter de recréer ?

— L'ARN.

— L'acide ribonucléique ? a-t-il répété, surpris.

— Oui. Celui-là même qui sert à retranscrire les informations codifiées dans nos gènes. Cette molécule, dont nous sommes l'hôte de milliards d'exemplaires, fut selon moi le premier organisme vivant. Du moins, ce sera notre hypothèse de départ.

— Surprenant. Quand je tentais de visualiser notre ancêtre commun, j'imaginais un organisme unicellulaire, probablement éteint depuis longtemps. Il ne me serait jamais venu à l'esprit que cet ancêtre vive encore en moi. Et pourquoi l'ARN en particulier ?

— Parce qu'il permet de rompre un cercle vicieux qui nous empêcherait autrement d'avancer. Rappelez-vous que l'ADN est incapable de se dupliquer seul ; il a besoin de plusieurs protéines pour catalyser la réaction. Le hic, c'est que c'est l'ADN lui-même qui synthétise également ces protéines. Donc pas d'ADN sans protéines et pas de protéines sans ADN. Ce dernier n'est donc pas le suspect que nous recherchons.

— Mais de tous les types d'ARN connus, aucun n'est capable de se dupliquer par lui-même, a objecté Jeff. Chacun a une fonction restreinte dans la retranscription ou le maintien du code génétique au sein de la cellule. Ça ne leur permettrait même pas d'auditionner pour le rôle du premier être vivant.

— Ce que vous dites est vrai dans le monde tel que nous le connaissons aujourd'hui, mais pas dans celui que nous tenterons de recréer. Fermez vos yeux et tentez d'imaginer la vie avant l'apparition de l'ADN ; imaginez une vie entièrement basée sur l'ARN. Les êtres vivant à cette époque ont régné sur la Terre pendant des millions d'années, peut-être plus longtemps que les dinosaures. Lorsque l'un d'entre eux a finalement réussi à encoder son génome à l'aide de l'ADN, ce qui lui conférait une plus grande stabilité chimique, sa descendance a eu le dessus sur celle de ses contemporains et le monde à base d'ARN s'est alors éteint. Les seuls êtres qui encodent aujourd'hui leurs gênes à l'aide d'ARN sont les virus, en particulier les rétrovirus, qui contiennent également les protéines nécessaires pour synthétiser de l'ADN.

— Selon votre hypothèse, un rétrovirus comme le VIH serait alors ce qu'il subsiste de plus proche de l'ancêtre de tous les êtres vivants ? a demandé Jeff, incrédule.

— Ironique, n'est-ce pas ? En fait, je n'en sais rien, sinon nous ne serions pas ici à en discuter. Mais une chose est certaine : il nous faudra être prudents lors de nos manipulations, car, comme vous vous en doutez, on trouve de l'ARN partout dans ce laboratoire : dans les particules de peau morte jonchant le sol, dans la sueur en suspension sur la poignée de porte et dans les cheveux collés dans l'évier. Il nous faut donc être extrêmement vigilants, car je suis certain qu'il s'en trouve déjà dans la cuve où nous allons tenter d'en faire spontanément apparaître de nouveaux exemplaires.

— Et à supposer qu'on réussisse, à quoi serviront les résultats de cette expérience?

— À comprendre.

Jeff m'a alors fixé d'un regard perplexe.

— N'est-ce pas là le but de toute expérience? ai-je ajouté. Et même si nous ne parvenons pas à recréer la vie, nous aurons appris une chose ou deux sur son fonctionnement. Le seul véritable échec serait de n'avoir rien appris de nouveau.

J'ai rapidement compris que mon premier défi allait être de rallier mes adjoints à ma cause, car les chances de réussir étaient à peu près nulles si je devais les traîner à bout de bras. Ils devaient non seulement y croire, mais y rêver tous les soirs en s'endormant, y penser comme moi pendant le dîner, dans l'autobus et sous la douche.

L'étincelle jaillit rarement lorsqu'on regarde le problème de trop près.

Bonne nuit,

Ton père

Sixième lettre

Le 1er novembre

Le temps presse et les événements se bousculent. Je vais donc accélérer un peu la cadence et sauter quelques événements.

Quelques semaines après l'arrivée de Jeff, j'ai reçu une lettre étrange : un bout de papier anonyme sur lequel on avait collé deux paragraphes découpés directement dans la Bible, comme dans un mauvais film.

Enfin, juge par toi-même :

Dieu créa les grands poissons et tous les animaux vivants qui se meuvent, et que les eaux produisirent en abondance selon leur espèce; il créa aussi tout oiseau ailé selon son espèce. Dieu vit que cela était bon. (Genèse 1, 21)

Ils entrèrent donc dans la maison pendant qu'il reposait sur son lit dans sa chambre à coucher, ils le frappèrent et le firent mourir, et ils lui coupèrent la tête. Ils prirent sa tête, et ils marchèrent toute la nuit au travers de la plaine. (Deuxième Livre de Samuel 4,7)

Le premier paragraphe tentait de me convaincre de la futilité de mon projet. Le second était une menace à peine voilée.

J'étais furieux. Qui était ce bipède acéphale pour me citer la Bible alors que je tentais de faire avancer la science ? J'ai conservé la missive sur mon bureau pendant quelques jours sans trop savoir qu'en faire. J'ai fini par reprendre mon calme et conclure que je n'en retrouverais sans doute jamais l'auteur.

J'ai finalement remis la lettre et son enveloppe au commissariat du quartier – on pouvait après tout déceler une menace en interprétant le texte. Le policier de garde a tenté de me rassurer en me promettant qu'un enquêteur ouvrirait un dossier dès que le temps le permettrait. Mais j'avais plus grand espoir de voir un jour apparaître dans mon laboratoire une molécule d'ARN qu'un homme en uniforme.

Avec le temps, j'ai appris à tolérer ces fanatiques égarés, sans toutefois ne jamais parvenir à les comprendre. Après tout, n'était-ce pas à eux – en partie, du moins – que je m'adressais en poursuivant mes travaux ? Combattre la bêtise ne revenait-il pas à tenter de les raisonner ? Je n'arrivais cependant pas à me convaincre qu'ils étaient l'aboutissement de milliards d'années d'évolution.

D'autres m'ont écrit par la suite, toujours dans le même style. Je me suis surpris à collectionner leurs messages. J'ai même imprimé les plus originaux, que j'ai collés sur le mur de mon bureau. Le mur des aberrations.

L'œuvre de ces illuminés est finalement devenue pour moi une source inépuisable de motivation. Lorsque le doute m'assaillait – ou simplement lorsque les résultats de mes expériences infirmaient mes hypothèses les plus prometteuses –, j'allais contempler ce mur pour y lire les insanités qu'on m'envoyait. J'en ressortais invariablement revigoré et convaincu qu'il fallait poursuivre jusqu'au bout.

À demain,

Ton père

Septième lettre

Le 2 novembre

Maintenant, quelques mots sur le protocole expérimental. Tu me pardonneras ces quelques paragraphes plus arides, mais ils sont nécessaires pour comprendre la suite.

Tout au long des essais, nous devions noter toutes les manipulations que nous faisions avec un niveau de détail pouvant permettre à quelqu'un n'ayant jamais mis les pieds dans notre laboratoire de reproduire l'expérience. Ça peut sembler anodin, mais c'est de la plus haute importance. Si je publie un jour un article annonçant que j'ai réussi à recréer la vie en laboratoire, peu de gens — et incidemment aucun de mes confrères — ne me croiront. Si je clame cependant que trois laboratoires indépendants ont réussi l'exploit, alors ce sera une autre histoire. D'où l'importance de ces notes détaillées.

Mais revenons au protocole.

La première étape consistait à vérifier l'étanchéité de la cuve. Permets-moi de l'appeler le réacteur à partir de maintenant. C'est son nom technique et ça m'évitera un peu de gymnastique. Il aurait suffi qu'une infime quantité de gaz ou de liquide réussisse à pénétrer dans le réacteur pour invalider toute l'expérience. Comment alors démontrer que la vie y était apparue par elle-même et qu'elle n'y avait pas plutôt pénétré par un joint perméable ?

Nous avons passé les premières semaines à effectuer des tests d'étanchéité en utilisant des pressions positives et négatives. Nous avons d'abord maintenu une pression de dix atmosphères dans le réacteur pendant quatre jours, démontrant que rien ne s'en échappait. Mais le test crucial consistait, à l'inverse, à maintenir une pression d'un dixième d'atmosphère pour vérifier qu'aucune molécule n'arrivait à y pénétrer.

Une fois les deux tests passés, nous étions prêts à remplir le réacteur. C'est ici que les questions intéressantes se sont posées. Combien fallait-il mettre de solide, de liquide et de gaz ? De quoi se composaient le sol, la mer et l'atmosphère de l'époque ?

Les géologues nous ont aidés à répondre à ces questions, nous éclairant entre autres sur la nature des éléments présents sur Terre à cette époque, mais il ne fallait pas accorder trop d'importance aux proportions dans lesquelles ces éléments étaient présents. Par exemple, rien ne servait de connaître précisément la salinité des océans, car la vie aurait tout aussi bien pu apparaître dans un bassin rendu très salé par l'évaporation ou, plus simplement, dans une marre d'eau douce. Mais nous reviendrons sur cette question plus tard.

Prévoyant que nous allions devoir faire des centaines – sinon des milliers – d'essais avant de remarquer un quelconque signe de progrès, j'ai fait automatiser tous les mécanismes touchant de près ou de loin au réacteur. Il y avait en tout douze robots – incluant le bras permettant de soulever le couvercle dont je t'ai parlé plus tôt – capables de déplacer des objets dans la cuve, d'y injecter de nouvelles substances, de modifier la concentration des molécules en suspension, de contrôler indépendamment la température de la mer et de l'atmosphère. Tout cet attirail accomplissait pour moi – non par paresse, bien sûr, mais par nécessité – un travail colossal. À partir de l'ordinateur de commande, je pouvais programmer des séquences d'opérations complexes, les répéter au besoin, aller au lit lorsque frappé de fatigue sans interrompre les expériences en cours.

Tout ça, sans ouvrir le réacteur !

Tu ne réalises pas à quel point ce détail était important. Il fallait à tout prix éviter d'ouvrir le réacteur. Si on devait par malheur soulever le couvercle, tout serait à recommencer ! Non seulement aurions-nous dû alors reprendre les expériences depuis le début, mais il aurait fallu se farcir tout le processus de stérilisation de nouveau : vider le réacteur de son contenu, le mettre sous vide, le nettoyer avec de puissants acides capables de briser toute chaîne de carbone s'y trouvant, puis maintenir une température de cent quatre-vingts degrés pendant plusieurs heures. On ne pouvait lésiner sur la stérilisation, car, tout comme l'étanchéité, elle pouvait foutre en l'air tous nos résultats.

Nous reprendrons demain.

À plus tard,

Ton père

Huitième lettre

Le 3 novembre

Nous avions à peine entamé l'aseptisation du réacteur quand, un matin, j'ai découvert un étrange animal arpentant les allées du laboratoire. Il se mettait parfois à quatre pattes, faisait quelques pas, puis se relevait tout d'un trait, courait dans une autre allée et recommençait le manège. Après un moment, il s'est immobilisé devant le réacteur, se frottant le menton de la main droite tout en scrutant les divers appareils qui y étaient reliés.

Jeff travaillait non loin, absorbé dans ses calculs, imperméable à la présence de cet être bizarre dans le laboratoire.

C'était un spécimen à la pilosité surprenante: un homme dans la cinquantaine, cheveux hirsutes et barbe longue, qui portait un jean bleu et un pardessus gris. Il tenait dans la main gauche un petit calepin, dans lequel il inscrivait furtivement quelques notes à intervalles réguliers.

Je l'ai observé un long moment, intrigué par ses tics et son comportement nerveux. L'idée qu'il ferait un sujet d'étude plus intéressant que l'ARN m'a traversé l'esprit.

Alors qu'il était parfaitement immobile depuis plusieurs minutes, je me suis approché pour l'interpeller.

— Fascinant ! a-t-il lancé en sentant ma présence. Vraiment fascinant.

M'ignorant de nouveau, l'homme s'est mis à marcher autour du réacteur, observant cette fois les différents mécanismes robotisés se trouvant à proximité.

— Vous savez à quoi cet étrange dispositif peut servir ? m'a-t-il soudain demandé.

— Eh bien, oui. C'est moi qui l'ai dessiné.

— Ah ! Cette œuvre est de vous. Je vous en félicite.

Sur ces mots, il s'est dirigé vers moi, comme si je revêtais maintenant pour lui un intérêt comparable à celui du réacteur.

— Et vous êtes… ? lui ai-je demandé.

Plutôt que de me répondre, l'homme s'est dirigé vers une étagère se trouvant sur sa droite qui venait d'attirer son attention.

— Que peut-il bien y avoir dans tous ces flacons ?

— Ma patience a des limites, ai-je lancé en guise de réponse. Identifiez-vous où j'appelle la police.

— Ce ne sera pas nécessaire. C'est déjà fait.

— Que voulez-vous dire ?

— Eh bien, c'est vous qui l'avez appelée. N'êtes-vous pas l'homme à qui on menace de trancher la tête ? À ce que je vois, ils ne l'ont pas encore fait. Tiens, pendant qu'on y est, je crois que j'ai oublié de me présenter. Olivier Trébuchet, enquêteur au département des crimes contre la personne à la police fédérale.

Il a fait une courte pause, pendant laquelle il a semblé consulter ses notes.

— C'est donc vous, le fameux professeur Zukerman, a-t-il ajouté.

— Vous avez des pouvoirs de déduction stupéfiants pour un enquêteur.

— Merci, c'est le métier.

— Et, selon les éléments que vous avez en main, que pensez-vous être en mesure d'accomplir ?

— Je vais vous sauver la vie.

Ce drôle de spécimen, que j'avais moi-même fait entrer par inadvertance dans ma vie, allait m'accompagner plus longtemps que je ne l'imaginais.

Allez, on se reparle demain.

Ton père

Neuvième lettre

Le 4 novembre

Dans les mois qui ont suivi, des protestataires ont commencé à obstruer l'entrée de l'édifice de Genetix. Au début, ils n'étaient qu'un ou deux excentriques à faire le pied de grue devant la porte avec des pancartes, mais leur nombre a crû de jour en jour, si bien qu'après un certain temps, on ne pouvait plus les compter.

Ils étaient parfois amusants: certains s'étaient déguisés en virus, en amibe ou en bactérie avec une longue flagelle. On a évidemment eu droit à Adam, Ève et leurs amis le serpent et la pomme. Ont suivi Noé, des girafes, un stégosaure, puis un homme à la barbe blanche tenant un éclair dans la main droite.

Ça, c'étaient les plus loufoques.

Les spécimens les moins drôles de cette espèce étaient vêtus de sarraus blancs et de masques à gaz. D'autres fanatiques apportaient avec eux leur combat, si bien qu'on a même reçu la visite de femmes déguisées en fœtus ou en nouveau-nés ensanglantés, d'un homme pendu à une corde qu'il tenait à bout de bras et d'un autre assis sur une chaise électrique.

Tout ce cirque attirait son lot de journalistes et de photographes. Il ne se passait plus un jour sans qu'un quotidien ou un journal télévisé ne mette en vedette ce troupeau d'hurluberlus ou ne montre la façade du siège social de Genetix.

Un matin, les gardes de sécurité ont dû faire appel aux policiers afin de disperser la horde de manifestants et de permettre au personnel d'entrer. Des centaines d'employés ont commencé leur journée en retard et d'autres, exaspérés, sont rentrés chez eux.

Il n'en fallait pas plus pour que Ricardo Bellini fasse irruption dans mon bureau.

— Mettez un terme à cette comédie ! Faites quelque chose ! a-t-il crié en franchissant le seuil de la porte.

— Je compte sept reporters, quatre photographes et trois caméramans, lui ai-je répondu, adossé contre la fenêtre donnant sur le stationnement. Vous rappelez-vous de la dernière fois où Genetix a reçu une telle couverture médiatique ?

— Je ne vous cacherai pas que je reçois des pressions de toutes parts pour débrancher votre laboratoire, vous donner en pâture aux journalistes ou vous trouver de nouveaux locaux au Burkina-

Faso. La direction commence à trouver vos activités… comment dire… dérangeantes.

— Je vous avais promis la renommée, eh bien vous êtes servi. Mais elle vient souvent accompagnée d'une certaine dose de polémique.

— J'ai cru remarquer. Je me sens cependant incapable de défendre votre projet devant tant d'opposition. Aidez-moi et je vous protégerai. Donnez-moi des munitions pour affronter ces barbares qui campent devant notre porte.

— Très bien, ai-je répondu. Nous allons raconter une histoire aux journalistes présents parmi eux.

— Une histoire ?

— Mais oui, c'est ce qu'ils sont venus chercher ici. Ils ne repartiront que lorsqu'ils auront une pleine page de notes dans leur calepin.

— D'accord. Je vous écoute. Mais ne les soûlez pas de jargon technique, sinon ils n'en publieront rien.

— N'ayez crainte. Vous allez leur raconter l'histoire de LUCA.

— Lucas ? Mais qui est-ce ?

— LUCA est notre ancêtre à tous. L'ancêtre du chien de votre voisin, du chêne qui fait de l'ombre sur votre balcon, de la bactérie qui digère le risotto dans votre intestin, de la mouche qui court sur votre veston, bref, l'ancêtre de toutes les plantes, de tous les animaux et même des êtres vivants défiant toute classification. Il tient son nom du joli acronyme *Last Universal Common Ancestor*.

— Et à quoi ressemblait-il, votre LUCA ? a dit Bellini, soudainement intéressé.

— Si seulement on en avait la moindre idée ! Ce qu'on sait, c'est qu'avant son apparition, notre planète était bien différente de celle qu'on connaît aujourd'hui. Entre autres, il n'y avait ni terre à sa surface, ni oxygène libre dans l'atmosphère. Sans les rejets des végétaux et des animaux sur le sol, et, surtout, sans bactéries ni oxygène pour dégrader le tout, il n'y avait que de la roche, de la glace, de l'eau et une atmosphère irrespirable. C'est dans ces conditions que les atomes de carbone, d'azote, d'oxygène et d'hydrogène se sont combinés pour former des molécules organiques simples, dont quelques acides aminés. C'est ce qu'on appelle la soupe primordiale.

— Et qu'est-il arrivé dans cette soupe pour qu'y naisse la vie ?

— À force de se recombiner, les molécules organiques sont devenues de plus en plus complexes, jusqu'à ce qu'une d'entre elles acquière la capacité de se dupliquer. Cette molécule est à mon sens le premier organisme vivant. C'est celui que nous tentons de recréer et d'identifier dans ce laboratoire. Vous pouvez imaginer ce qui s'est produit ensuite. Cette première molécule, capable de créer des copies d'elle-même sans aucune compétition, a rapidement envahi toutes les étendues d'eau du globe. La sélection naturelle ne s'appliquant pas – il n'y avait qu'une seule espèce –, le seul frein à sa progression était la présence en quantité suffisante des éléments de base requis pour construire de nouvelles répliques.

— Je ne vois toujours pas où intervient notre ami LUCA dans cette histoire.

— J'y arrive. LUCA est une cellule qui descend directement de cette première molécule. Pour y arriver, il a fallu qu'une erreur se glisse dans la réplication de façon à créer une nouvelle molécule ayant un léger avantage sur la première. Peut-être cette nouvelle venue avait-elle la capacité de se reproduire plus rapidement ? Peut-être le faisait-elle à partir d'éléments présents en plus grande quantité ? À ce stade-ci, toutes les hypothèses sont valables. Cette nouvelle molécule a probablement remplacé complètement la première, jusqu'à ce qu'une troisième entre en scène, et ainsi de suite. La sélection naturelle déterminait désormais le contenu de la soupe, dans laquelle plusieurs molécules ont fini par coexister à des endroits et à des concentrations différentes. Nous faisons ici l'hypothèse qu'une de ces molécules ressemblait à l'ARN que nous avons dans nos cellules. Dans cette guerre sans merci, les compétiteurs devaient maintenir et créer un arsenal de plus en plus redoutable simplement pour continuer à exister. C'est la théorie de la Reine rouge.

— Mais qu'est-ce que la royauté vient faire là-dedans ?

— Mais non, il ne s'agit pas de la royauté, voyons ! Vous souvenez-vous d'un personnage d'*Alice au pays des merveilles* qui s'appelait la Reine rouge?

— Ah! *Alice au pays des merveilles*! Ça, ça devrait être assez simple pour les journalistes.

— À un moment de l'histoire, Alice entre dans une course folle avec la reine et lui demande: "Mais, Reine rouge, c'est étrange, nous courons vite et le paysage autour de nous ne change pas?" La reine lui répond: "Nous courons pour rester à la même place." De la même façon, toutes les espèces sont engagées dans une course effrénée pour s'adapter aux changements simplement pour continuer à exister. Une pause et c'est l'extinction. Une des avancées les plus redoutables résultant de cette course fut sans contredit l'apparition de la membrane cellulaire, qui sert à protéger le matériel génétique contenu dans l'organisme. Une fois l'ARN emballé dans cette membrane, la cellule est née. Comme les cellules ne se reproduisaient que par division, l'une d'entre elles est probablement l'ancêtre de tous les êtres vivants aujourd'hui. Nous avons baptisé cette cellule LUCA. Évidemment, il faut que chacune de ses deux cellules filles ait des descendants vivants aujourd'hui, sans quoi l'une des deux deviendrait alors le véritable LUCA. Une interprétation intéressante de cette théorie est que nous ne sommes qu'une version plus évoluée de cette première molécule d'ARN. Toutes les modifications qui ont suivi, comme l'apparition d'organismes multicellulaires, la spécialisation de nos cellules en organes, la formation d'un squelette ou la création d'un système nerveux central ne sont que des évolutions donnant un avantage compétitif à LUCA sur ses voisins.

— Ouf! Ça fait beaucoup de choses à retenir. Vous pensez que les journalistes vont digérer tout ça?

— Aujourd'hui, ils n'ont que la version des manifestants à se mettre sous la dent. Fournissez-leur une nouvelle histoire et laissons la sélection naturelle faire le travail. Nous verrons bien qui, de LUCA ou d'Adam, fera la une des journaux pendant les prochaines semaines.

Satisfait, Bellini est reparti comme il était venu. Dans l'heure qui a suivi, il a convié les journalistes présents à une conférence de presse. Au fil des jours, la visibilité des manifestants a considérablement diminué dans les journaux, faisant place à différents textes expliquant l'évolution. Certains manifestants, constatant l'inutilité de leur présence devant les locaux de Genetix, ont cessé de se présenter; quelques irréductibles ont malgré tout persévéré.

Bon, il se fait tard. À demain,

Ton père

Dixième lettre

Le 5 novembre

Il s'est produit aujourd'hui un événement qui m'a profondément troublé.

En arrivant à la maison en fin d'après-midi, j'ai trouvé la porte d'entrée entrouverte. Plutôt que d'appeler la police, j'ai violemment poussé la poignée dans l'espoir de surprendre l'intrus qui pourrait encore se trouver à l'intérieur.

J'ai fait quelques pas dans le vestibule. Rien.

Je me suis immobilisé dans le couloir. Aucun bruit.

J'ai rapidement fait le tour de la cuisine, du salon et de la salle à manger. Toujours rien.

J'ai rapidement conclu que j'étais seul dans la maison.

Ce n'est qu'une heure plus tard que j'ai remarqué les traces du visiteur. J'avais pris l'habitude de toujours laisser dans mon bureau la poubelle appuyée contre le classeur de façon à empêcher le tiroir du bas, dont le loquet est brisé, de s'ouvrir seul. J'ai découvert la poubelle contre le mur, à un mètre du classeur. Ce tiroir contient tous les documents relatifs à ma relation avec Genetix. Je l'ai ouvert à la recherche de documents disparus ou d'indices permettant d'en apprendre sur les intentions de l'intrus.

Tout y était – presque trop bien rangé, d'ailleurs. Pas une feuille ne dépassait et tous les documents étaient en ordre croissant de date, comme j'avais l'habitude de les trier. Le visiteur avait peut-être lu ou photographié l'information qu'il cherchait, mais il n'avait rien pris.

On résoudra peut-être cette énigme un autre jour.

Ton père

Onzième lettre

Le 6 novembre

Ta sœur a entre-temps complété ses études en chimie organique. Tu étais un peu plus jeune qu'elle, mais tu te rappelles sans doute comme Sophie avait le visage lumineux lors de sa graduation.

Tu n'as pas idée de la joie que j'ai ressentie lorsqu'elle a décidé de se joindre à mon équipe. Je poursuivais désormais les travaux les plus importants de ma carrière en compagnie de ma fille. Je ne pouvais demander plus.

À bien y penser, il manquait peut-être une chose.

Il ne manquait plus que toi. Mais, quelques années plus tard, tu as plutôt choisi de poursuivre tes études en informatique. Ce n'était pas un mauvais choix. Tu allais probablement être plus riche que ta sœur, et sans aucun doute que ton père. La décision revenait à toi seul et je la respecte. Sache seulement à quel point j'aurais aimé travailler à tes côtés.

Sophie est rapidement devenue une alliée redoutable. Non seulement a-t-elle saisi immédiatement l'ampleur des défis auxquels nous faisions face, mais elle a rapidement maîtrisé tous les aspects de l'expérience. À bien des moments, elle a anticipé mon prochain coup et même joué le suivant. Je feignais de ne pas m'en apercevoir – histoire de préserver un peu ma dignité –, mais elle était trop perspicace pour que quiconque puisse lui cacher quoi que ce soit. Elle savait que je savais qu'elle savait. C'est compliqué, je sais. Les relations père-fille le sont souvent.

Mais Sophie avait une façon bien à elle de me laisser croire que toutes les idées venaient de moi, même lorsque je n'étais pas tout à fait certain d'avoir compris ce qu'elle avait proposé. Elle a apporté un vent de fraîcheur au laboratoire au moment où je devais gérer plusieurs problèmes qui n'avaient rien à voir avec la chimie organique.

Jeff, de son côté, était un technicien de laboratoire efficace, mais sans aucune initiative. Si je lui donnais un protocole à suivre, j'étais certain qu'il n'en dévierait pas d'un iota. Mais jamais il n'est venu me voir avec une nouvelle idée ; ce n'était tout simplement pas dans sa nature.

Sophie et lui formaient un binôme productif, avec un bon dosage de rigueur et de créativité. Je n'aurais pu demander mieux.

Ton père

Douzième lettre

Le 7 novembre

C'est à ce moment que les événements ont pris une tournure plus inquiétante.

Un matin – c'était quelques mois après l'arrivée de Sophie –, j'ai trouvé la porte du laboratoire fracassée. J'étais le premier sur les lieux. C'était un mercredi matin à sept heures et quart – je m'en souviens comme si c'était hier.

J'ai immédiatement contacté le service de sécurité de Genetix. En moins d'une minute, deux hommes armés m'ont rejoint dans le corridor. À travers la fenêtre brisée de la porte, je pouvais voir des éclats de verre à l'intérieur du laboratoire: certains jonchaient le sol, d'autres étaient restés pris dans le cadre de la vitre, rendant sa traversée périlleuse. C'était forcément par là que les intrus avaient pénétré.

— Vous n'avez rien, professeur? s'est enquis le premier garde en reprenant son souffle après une longue course.

— Non, ils étaient sans doute partis depuis longtemps lorsque je suis arrivé.

— Ne présumez de rien. Il en reste peut-être un caché dans un coin du labo. Nous allons attendre ici que les policiers arrivent. De toute façon, c'est la procédure.

— Et la sortie de secours qui se trouve de l'autre côté ? ai-je demandé, inquiet.

— N'ayez crainte. Il y a deux hommes postés là-bas aussi. En passant, je m'appelle Greg. Je suis un fan de vos travaux.

Pendant l'interminable quart d'heure qui a suivi, j'ai passé mentalement en revue tout ce qui se trouvait dans le laboratoire. Et s'ils avaient fissuré la cuve du réacteur ? Peut-être avaient-ils brisé un des bras robotisés ? Ou encore volé des ordinateurs ou de l'équipement ? Mon rythme cardiaque augmentait avec chaque minute qui passait.

L'ouverture de la porte d'ascenseur m'a tiré de mes élucubrations. D'un pas maladroit, Olivier Trébuchet en est sorti et a emprunté le corridor dans la direction opposée.

— Par ici ! a crié Greg à Trébuchet, qui nous tournait maintenant le dos.

Mais qu'est-ce que ce rigolo pouvait bien faire ici à cette heure matinale ? N'avait-il rien de plus important à faire que de me rendre visite une seconde fois ?

— C'est la police, m'a annoncé le garde sur un ton se voulant réconfortant.

En observant Trébuchet faire demi-tour avec l'agilité d'un paquebot pour ensuite clopiner vers nous, une image m'a traversé l'esprit : l'inspecteur Trébuchet en train de lutter avec une brute encagoulée jaillissant d'un coin sombre du laboratoire. Nous étions en sécurité.

— Ne touchez surtout à rien ! a lancé Trébuchet en arrivant à portée de voix. Il ne faut pas déplacer le moindre débris.

Plutôt que de nous saluer, il s'est accroupi, a enfilé les gants qu'il venait de retirer de la poche de son pardessus et a commencé à tâter le sol devant la porte du laboratoire encore close.

— Rien ici, a-t-il conclu à mi-voix.

L'inspecteur a ensuite passé la tête à travers le cadre de la porte vitrée, éclairant de sa lampe de poche le sol du laboratoire encore obscur. Pendant qu'il scrutait minutieusement le plancher, j'observais les morceaux de verre acérés qui, restés coincés dans la partie supérieure du cadre de la vitre, pendaient au-dessus de sa nuque. De nombreuses images me venaient à l'esprit.

— Regardez-le à l'œuvre, m'a chuchoté Greg. C'est le meilleur détective au pays. On dit que c'est lui qui a résolu le mystère des vingt-sept disparus[1], il y a de ça plusieurs années. Les journaux en avaient beaucoup parlé à l'époque. Plusieurs détectives se sont cassé les dents sur cette énigme. Il paraîtrait

1. Voir *Le Jardinier de monsieur Chaos.*

que son patron lui avait assigné cette enquête insoluble pour l'humilier. Eh bien, il en a fait un héros malgré lui. Mais l'inspecteur en est ressorti gravement malade, paraît-il, et n'a plus jamais été le même par la suite.

J'observais toujours Trébuchet à l'œuvre dans le cadre de porte, incapable de faire l'équation entre cet homme malhabile et le surhomme que me décrivait le garde.

Trébuchet s'est finalement redressé, faisant par inadvertance passer le lobe de son oreille droite à un millimètre d'une pointe de verre. Observant la scène, le second garde de sécurité a laissé échapper une grimace. L'inspecteur a ensuite examiné avec insistance les éclats encore prisonniers du cadre de la porte.

— Tous les éclats de verre se trouvent à l'intérieur du laboratoire, a-t-il annoncé en se retournant vers nous. La vitre a donc été fracassée de l'extérieur et ils ont pénétré par cette porte.

Tout ce manège pour aboutir à cette évidence ! L'enquête avançait décidément à une vitesse fulgurante.

À la surprise de tous, Trébuchet a alors ouvert nonchalamment la porte et a pénétré dans le laboratoire, marchant dans les éclats de verre, ce qui produisait un bruit insupportable. Les deux gardes l'observaient, incrédules.

— Ne vous inquiétez pas, j'ai des semelles dures, a crié l'inspecter sans se retourner. De toute façon, il n'y avait aucune empreinte à tirer de tous ces morceaux de verre. L'intrus portait des gants. Sa venue était donc préméditée.

Les gardes ont dégainé leur arme et ont suivi Trébuchet dans le laboratoire. Le premier a allumé la lumière pendant que le second tendait le bras vers l'arrière pour me signifier de rester à l'écart.

Impatient, je les ai suivis dans le laboratoire pendant qu'ils arpentaient les allées à la recherche d'une présence humaine. Je me suis précipité vers le réacteur: la cuve, toujours coiffée de son couvercle, n'avait pas une égratignure; les bras robotisés étaient intacts; les ordinateurs étaient toujours là. J'ai regardé autour de moi, cherchant en vain le méfait qu'auraient pu commettre les intrus.

Et si toute cette casse n'était pour rien?

— Par ici! a crié Trébuchet du fond du laboratoire.

Nous avons tous trois accouru. L'inspecteur était accroupi devant une étagère renversée autour de laquelle gisaient les fragments d'une vingtaine de béchers et d'éprouvettes. Les acides et les bases avaient déclenché une réaction exothermique en se mélangeant au sol, endommageant les joints du carrelage.

— Qu'y avait-il sur cette étagère? m'a demandé Trébuchet.

— De mémoire, il y avait quelques solvants: de l'acide chlorhydrique, de l'éthanol, du toluène, de l'acétone, du chloroforme et de l'acide formique.

Peut-être également quelques acides aminés : de la tyrosine, de l'histidine, de la sélénocystéine et de la valine.

— Bon. Je note sans trop comprendre. Ces produits avaient-ils une quelconque valeur commerciale ?

— Non. Il n'y avait rien ici qu'un technicien de laboratoire compétent n'aurait pu synthétiser. Rien non plus qu'on n'aurait simplement pu se procurer chez le fournisseur d'acides aminés du coin. En tous cas, rien qui ne justifie le risque d'entrer dans un édifice surveillé comme celui-ci, si c'était le sens de votre question.

Trébuchet scribouillait furieusement dans son calepin. Il a ensuite fini l'inspection du laboratoire, puis a commencé à relever les empreintes digitales sur le clavier des ordinateurs.

— Je croyais que les intrus avaient des gants, lui a fait remarquer le premier garde.

— Je ne prends aucune chance, a sèchement répondu Trébuchet, qui semblait mal supporter la critique. Lorsque la scène sera contaminée, il sera trop tard pour prélever quoi que ce soit. Je n'ai pas les effectifs au laboratoire pour analyser ces échantillons en ce moment, mais ils pourraient s'avérer utiles si la situation venait à se compliquer.

Entre-temps, j'ai entrevu Sophie et Jeff observer la scène depuis le corridor, inquiets. Trébuchet m'a intercepté au moment où je faisais un pas dans leur direction pour aller les rassurer.

— Avez-vous une idée, même farfelue, de ce qui aurait pu motiver quelqu'un à s'introduire dans votre laboratoire et à saccager cette étagère ? m'a-t-il demandé.

— Moi, j'en ai une, a répondu Greg en indiquant du doigt un bout de papier épinglé sur le mur à l'endroit où devait se trouver l'étagère.

L'inspecteur s'est approché du morceau de papier en enjambant les débris de verre. Une fois le nez collé sur la note, il s'est mis à lire à haute voix :

Puis Dieu dit : Que la Terre produise de la verdure, de l'herbe portant semence, des arbres fruitiers donnant des fruits selon leur espèce et ayant en eux leur semence sur la Terre. Et cela fut ainsi. (Genèse 1,11)

C'est pourquoi ainsi parle l'Éternel : Voici, je te chasse de la Terre ; tu mourras cette année ; car tes paroles sont une révolte contre l'Éternel. (Jérémie 28, 16)

— Voilà qui répond à ma question, a conclu Trébuchet en se retournant vers le garde. Pouvez-vous me faire parvenir les séquences vidéo filmées par les caméras de sécurité pendant la nuit ?

— Il n'y a pas de caméras dans le laboratoire, a répondu le garde, penaud. Mais il y en a dans les corridors.

— Alors envoyez-moi ce que vous avez et je me débrouillerai. Savez-vous comment les intrus ont pu se rendre jusqu'au deuxième étage sans déclencher l'alarme ?

— Pas la moindre idée, a répondu le garde.

Le mystère demeurait entier.

Ton père

Treizième lettre

Le 8 novembre

Tant que les menaces n'étaient que des mots sur un bout de papier, je parvenais à les classer dans un coin de mon esprit et à bien dormir. Mais cette fois, on venait de violer ma maison, mon lieu de travail, mon espace privé, ma vie.

J'allais prendre une série de mesures pour éviter que tout ça se reproduise. J'étais désormais moi-même engagé dans une course effrénée avec la Reine rouge simplement pour continuer à exister.

Le plus important était de retrouver rapidement un semblant de normalité. Sitôt Trébuchet parti, j'ai fait nettoyer les dégâts, repeindre le mur, réparer le carrelage, remplacer la vitre de la porte et réparer l'étagère. J'y ai même disposé le même nombre de béchers et d'éprouvettes qu'auparavant afin d'effacer toute trace de l'incident. Sophie et Jeff ont repris les travaux et ont semblé oublier le cambriolage.

J'ai ensuite pallié aux déficiences du système de surveillance. J'ai fait installer six caméras dans le laboratoire, toutes reliées à un serveur distant de façon à ce que les intrus ne puissent s'emparer des séquences vidéo sur place. Il n'était désormais plus possible, sans passer devant plusieurs caméras, de franchir la porte d'entrée du laboratoire ou la sortie de secours, ni de s'approcher du réacteur, des robots, des ordinateurs ou de l'étagère qui semblait tant les intéresser.

Finalement, j'ai fait installer des barreaux d'acier rivetés de l'intérieur dans la vitre de chacune des deux portes menant au laboratoire. N'y entrerait plus qui voulait.

Ricardo Bellini n'a pas manqué l'occasion de passer faire son tour le lendemain de l'effraction.

— En quatorze ans chez Genetix, je n'ai jamais rien vu de pareil, m'a-t-il lancé. Il y a bien eu quelques désaxés qui se sont présentés à la réception au milieu de la nuit, mais jamais un vandalisme de l'ampleur de ce que vous venez de subir. Vous soulevez les passions, professeur.

— Si ce qu'on fait dérange, c'est signe que ça a de la valeur, ai-je répondu. L'indifférence m'inquiéterait davantage.

— Si vous pensez être sur la bonne voie, poursuivez. Mais tâchez de ne pas traîner trop tard le soir au labo. Vous ne voulez pas tomber face à face avec un de ces intégristes.

Intégriste. Le mot était bien choisi. Longtemps, j'ai cherché la différence entre eux et moi – espérant évidemment en trouver une, et la plus grande possible. Qu'est-ce qui expliquait que là où, en lisant un texte, je n'entendais qu'une parabole, eux voyaient la vérité absolue ? Qu'est-ce qui les aveuglait au point de refuser toute démonstration scientifique contraire à leurs croyances ?

Tu seras sans doute surpris d'apprendre que c'est Sophie et toi qui m'avez apporté la réponse. Alors que vous étiez encore tout jeunes, à l'âge où les enfants harcèlent leurs parents de mille questions, vous m'avez fait les remarques suivantes :

— Papa, je sais pourquoi il y a des étoiles dans le ciel. C'est pour qu'on voie mieux la nuit.

Ou encore :

— Papa, qui a mis de l'eau dans la mer ? Est-ce que c'est pour faire flotter les bateaux ?

Vous m'avez réappris à voir le monde à travers les yeux d'un enfant. Et c'est alors que j'ai compris ce qui distinguait mon monde du vôtre : l'intention. Pour l'enfant, les choses n'existent que parce que quelqu'un les a mises là. Et si cette personne les a mises là, c'est qu'elle devait avoir une bonne raison. La mer n'existe donc que pour soutenir les bateaux. C'est le monde à l'envers.

J'ai alors compris que les intégristes – tout comme le Juif inconnu qui a écrit la Bible – voient simplement le monde à travers les yeux d'un enfant. S'il y a des poissons, c'est parce que quelqu'un les a mis là et si ce quelqu'un les a mis là, c'est parce que l'homme avait faim.

En vieillissant, nous remplaçons normalement la notion d'intention par celle de causalité. Mais certains restent enfants éternellement.

Ce jour-là, j'ai presque pardonné aux intégristes leur bêtise. Quoique si j'avais croisé celui qui avait mis mon laboratoire à l'envers, je lui aurais donné une fessée mémorable.

Je te laisse sur cette pensée.

Ton père

Quatorzième lettre

Le 9 novembre

Toute la poésie, toute la prose et tous les textes qui racontent l'histoire de l'homme occidental reposent sur un alphabet de vingt-six lettres. Toute la musique composée jusqu'à aujourd'hui n'est que succession ou superposition des mêmes douze demi-tons. L'alphabet avec lequel est écrite la vie est du même ordre de grandeur : il ne contient que vingt acides aminés.

La nature a cependant été plus économe que l'homme dans ses choix et plus variée dans son œuvre. Celui qui clame qu'il ne peut exister plus grande différence qu'entre la musique de Bach et celle de Bartòk n'a qu'à comparer le lichen à l'antilope. À la distance entre les textes de Victor Hugo et de Sun Zhu, la nature répond avec celle qui sépare la tulipe du chimpanzé. Bon, je m'arrête ici.

Bref, avant de faire naître la vie, nous allions devoir synthétiser son alphabet. Et cet alphabet n'allait pas naître instantanément dans le réacteur, pas plus qu'il n'était apparu d'un coup sur Terre. Nous allions devoir passer à travers toutes les étapes intermédiaires ayant permis aux atomes présents dans la soupe primordiale de s'assembler, de se séparer, de se remarier et d'interagir jusqu'à l'obtention des vingt acides aminés qui composent tous les êtres vivants.

Miller et Urey ont tenté la première expérience en ce sens en 1953. Ils ont mélangé de l'eau, du méthane, de l'ammoniac et de l'hydrogène dans un ballon, puis ont fait évaporer et condenser cette soupe à répétition pour simuler le cycle atmosphérique tout en la soumettant à des étincelles pour reproduire les éclairs. Après une semaine, une partie du carbone avait réagi pour former des acides aminés, des sucres et des lipides. Les détracteurs se rappelleront davantage que la soupe contenait également du cyanure et du méthanal, en faisant un puissant poison.

Ultérieurement, diverses expériences ont démontré qu'il était possible de synthétiser ainsi tous les acides aminés. Mais bien que l'alphabet ait été alors complet, personne n'avait encore réussi à écrire un traître mot.

Nous allions procéder différemment.

Nous avons entrepris l'expérience avec les mêmes éléments de base, mais en faisant varier les conditions du mélange de façon différente. En plus des cycles d'évaporation et des étincelles visant à simuler les conditions atmosphériques, nous avons dans un premier temps imité le cycle circadien en recréant le jour et la nuit dans le réacteur. Ce dernier se trouvait déjà près d'une vaste fenêtre laissant entrer la lumière du soleil en quantité et produisant naturellement l'effet recherché.

Impatient, j'ai alors proposé à l'équipe de produire une alternance rapide entre le jour et la pénombre de façon à accélérer son effet sur la réaction. Un jeu de miroirs et d'écrans ferait sans doute l'affaire. Ça nous éviterait entre autres d'avoir à attendre plusieurs milliards d'années pour juger du résultat.

Mais Sophie a poussé l'idée plus loin.

— Peut-être cherchons-nous dans la mauvaise direction, a-t-elle objecté.

— Où veux-tu en venir ? lui ai-je demandé.

— Le rayonnement solaire de l'époque était très différent de celui d'aujourd'hui. On sait déjà que l'atmosphère ne contenait pas d'oxygène, ce qui lui conférait des propriétés de réflexion et d'absorption très différentes de celles que nous observons. Nous devons simuler le rayonnement que recevait la Terre il y a trois milliards d'années.

— En émettant une lumière dont le spectre correspondrait à celui d'une atmosphère sans oxygène ? a demandé Jeff.

— Il faut aller encore plus loin, a-t-elle proposé. Qui dit absence d'oxygène, dit absence d'ozone, puisqu'il est constitué de trois atomes d'oxygène. Et qui dit absence d'ozone, dit également présence importante de rayons ultraviolets. Il faut donc irradier le réacteur de rayons ultraviolets si nous voulons simuler le jour de l'époque.

Sophie avait raison. Il est pourtant difficile de concevoir que les conditions ayant permis à la vie d'apparaître, notamment le rayonnement solaire dévastateur et l'absence totale d'oxygène libre, seraient fatales pour à peu près tout ce qui vit sur la Terre aujourd'hui.

C'est ainsi que nous avons mis en place des sources de lumière ultraviolette tout autour de la cuve. Après quelques essais, nous avons même abandonné l'idée de simuler le jour et la nuit, laissant ce travail au soleil, et avons simplement irradié le réacteur un jour sur deux.

Mais au fil de ces expériences, le seul être vivant que nous sommes parvenus à faire apparaître dans le laboratoire aura été Ricardo Bellini. À chacun de ses passages dans le laboratoire, il ne manquait pas de venir se coller le nez sur la surface vitrée de la cuve et, faisant des œillères de part et d'autre de ses yeux avec ses mains, il laissait échapper un sonore: «Y a-t-il de la vie là-dedans?»

Nous étions encore loin du compte.

Ton père

Quinzième lettre

Le 10 novembre

Trois jours après l'intrusion nocturne dans le laboratoire, Olivier Trébuchet est apparu à la porte de mon bureau.

— Vous avez un instant? m'a-t-il demandé.

— Oui, entrez.

L'inspecteur a pris place, s'asseyant dans un fauteuil vacant de façon à me faire face. Au-dessus de sa tête, un néon a clignoté tout en émettant un léger bourdonnement.

— L'enquête progresse lentement, a-t-il commencé, mais j'ai tout de même quelques informations à vous communiquer. Nous avons entre autres découvert comment l'intrus a réussi à pénétrer dans l'édifice sans déclencher l'alarme. Il lui a suffi de deux petits trucs: il a d'abord court-circuité le senseur d'une des sorties de secours de façon à ce que le courant ne s'interrompe pas lors de l'ouverture de la porte; il a ensuite introduit un petit cube de bois dans la gâche de la serrure afin d'empêcher le pêne d'y pénétrer, lui permettant ainsi d'ouvrir la porte de l'extérieur.

— Le coup était donc prémédité…

— … et bien planifié. Notre malfaiteur - car il était seul - a préparé son entrée pendant les jours qui ont précédé son intrusion. La nuit tombée, il n'a eu qu'à tirer la frange de la porte du bout des doigts pour l'ouvrir, car, comme toutes les portes de secours de l'édifice, cette dernière n'a pas de poignée du côté extérieur. D'ailleurs, voici une photo que les caméras ont prise de lui alors qu'il franchissait le pas de la porte.

Le néon s'est mis à clignoter de façon erratique, tout en émettant une vibration sourde. Trébuchet m'a tendu une photo sur laquelle apparaissait un carré noir.

— Mais on n'y voit rien!

— Forcément, c'était la nuit. Heureusement, en parcourant les séquences vidéo des jours précédents, on a pu le voir travailler à la lumière du jour alors qu'il court-circuitait le système d'alarme et qu'il neutralisait le loquet.

L'inspecteur m'a alors tendu une autre photo, montrant un homme penché sur le cadre de la porte de sortie.

— Mais on ne peut rien en tirer! ai-je laissé échapper.

— Et qu'est-ce qui vous fait dire ça?

— Non seulement est-il de dos, mais il porte un sarrau blanc et des lunettes protectrices. Regardez un peu autour de vous, bon sang! Tout le monde porte un sarrau blanc et des lunettes protectrices. Vous avez maintenant deux mille cinq cents suspects à interroger.

Le néon se trouvant au-dessus de Trébuchet s'est éteint, taisant son bourdonnement. Soulagé, l'inspecteur a porté le regard au plafond quelques secondes.

— Alors laissons-le se démasquer, a-t-il repris. Tendons-lui un piège; il viendra forcément à nous.

— Et qu'est-ce qui vous permet de croire qu'il reviendra?

— Vous pensez sincèrement que son intention n'était que de renverser votre étagère et faire éclater quelques éprouvettes? m'a demandé Trébuchet en dévoilant quelque peu son jeu. Vous pensez qu'il rentrera calmement à la maison et en restera là? Eh bien, non. S'il voulait vous faire lire quelques versets de l'Ancien Testament, il n'avait qu'à vous les envoyer par la poste.

— Mais qu'est-ce qu'il peut bien vouloir?

— Il est visiblement venu chercher quelque chose de très précieux à ses yeux. Pourtant, rien n'a disparu de votre laboratoire. Nous devons trouver ce qui l'a incité à prendre un si grand risque. Je crois qu'il ne fait que commencer et que nous le reverrons bientôt.

— Alors là, je l'attends de pied ferme.

— J'ai vu que vous avez fait installer des barreaux aux fenêtres et de nouvelles caméras. Peut-être verrons-nous enfin notre ami de face.

Trébuchet était plus perspicace qu'il ne le laissait paraître. Il progressait lentement, mais il semblait avoir une idée derrière la tête. Il a parcouru ses notes une dernière fois pour s'assurer de n'avoir rien oublié.

— Ah ! Une dernière chose, a-t-il repris. Comme nous nous y attendions, nous n'avons relevé aucune empreinte digitale sur les claviers de vos ordinateurs.

Trébuchet s'est alors levé, faisant involontairement reculer son fauteuil contre le mur avec ses mollets. Sous le choc, le néon s'est rallumé et le bourdonnement a repris.

Exaspéré, l'inspecteur a quitté mon bureau.

À demain,

Ton père

Seizième lettre

Le 11 novembre

Le lendemain, je suis arrivé chez Genetix un peu plus tard qu'à l'habitude. Ce jour-là, les manifestants avaient repris leur poste et occupaient la majeure partie du stationnement, scandant bruyamment des slogans tous plus idiots les uns que les autres.

À la suite des nombreux reportages dans les journaux et aux nouvelles du soir, mon visage s'était progressivement fait connaître, au point où certains excités agitaient parfois une pancarte présentant ma photo accompagnée d'un commentaire peu élogieux. Ce matin-là, les membres d'un groupuscule en rangée devant la porte principale faisaient remuer au bout d'un bâton des pantins à mon effigie. Certains consistaient en de simples assemblages de chiffons rembourrés ; d'autres étaient des caricatures géantes assez réussies.

J'ai garé ma voiture à l'arrière de l'édifice afin d'emprunter une entrée secondaire et ainsi d'éviter de me faire chahuter.

Dans le corridor du deuxième étage, un brouhaha croissant émanant de la porte du laboratoire m'a laissé deviner que quelque chose d'inhabituel s'y passait. Alors que je n'étais encore qu'à quelques mètres de la porte, un chercheur provenant d'une autre équipe en est sorti. Mais que pouvait-il bien faire dans mon laboratoire ? À ma vue, il s'est élancé vers moi avec un grand sourire :

— Félicitations, professeur ! m'a-t-il lancé en me donnant une vigoureuse poignée de main. C'est aujourd'hui le grand jour !

L'homme, joues rondes et lèvres tendues, arrivait à peine à contenir son rire. J'avais vaguement l'impression qu'il se moquait de moi.

— Allez, entrez ! a-t-il ajouté en tendant la main vers la porte. Votre exploit n'est pas passé inaperçu. On vous attend en grand nombre.

Appelé par des préoccupations plus urgentes, il a alors repris le chemin de l'ascenseur d'un pas précipité.

Intrigué au plus haut point, j'ai alors couru vers le laboratoire. En arrivant au pas de la porte entrouverte, le bruit des conversations a atteint un niveau inquiétant.

J'ai poussé la porte violemment. Au premier coup d'œil, il devait y avoir une quarantaine de personnes autour de la cuve, toutes vêtues de sarraus et de lunettes.

— Le professeur est arrivé ! a crié l'un d'entre eux en m'apercevant.

Tous les chercheurs se sont alors tournés vers moi. Celui qui avait crié s'est mis à taper des mains sans raison apparente, entraînant ses collègues dans une vague d'applaudissements spontanée. Dépassé par les événements, je les regardais en haussant les épaules, incapable de faire un pas tellement la foule était dense.

Reprenant mes esprits, j'ai alors tourné le regard vers le réacteur, encore entièrement masqué par l'attroupement. Un à un, les chercheurs se sont écartés de mon chemin, libérant ainsi une allée jusqu'à la cuve. J'en ai pris la direction d'un pas incertain, n'ayant pas la moindre idée de ce qui pouvait s'y trouver. Au passage, mes collègues me lançaient ironiquement un compliment ou encore me donnaient une tape d'encouragement sur l'épaule.

Une petite tache noire sur la vitre du réacteur a alors attiré mon attention. En y regardant de plus près, j'ai cru voir qu'elle se déplaçait. C'était une illusion. Ça devait être la réfraction de la tache à travers la paroi de verre. Puis soudainement, la tache s'est envolée.

C'était un insecte!

Incrédule, j'ai me suis collé le visage à l'extérieur de la vitre. J'observais la bestiole virevolter à l'intérieur de la cuve, se cogner à répétition contre la paroi en se dirigeant vers la lumière, tentant désespérément de retrouver la liberté. C'était une *Fannia canicularis*, une petite mouche domestique.

Mais comment avait-elle pu s'introduire dans le réacteur ? Les tests d'étanchéité avaient bien démontré que même un atome d'oxygène en était incapable.

C'est alors que l'impensable s'est produit. Du fond de la cuve, prenant un élan aussi puissant que calculé, une grenouille s'est propulsée rapidement jusqu'à la surface de l'eau, a bondi en l'air à une hauteur surprenante, puis a tendu la langue et avalé la mouche, pour replonger immédiatement jusque dans les profondeurs du bassin.

— C'est la sélection naturelle à l'œuvre ! s'est alors exclamé un des chercheurs, provoquant un fou rire général.

Étant malgré moi la risée de tous, je suis resté de marbre. Je bouillais cependant à l'intérieur. Quand la vapeur a atteint mon cerveau, j'en ai eu assez.

— Ça suffit ! ai-je crié en tapant des mains pour rétablir le silence. Qui est l'auteur de ce canular ?

Ils se sont tous regardés les uns les autres, faisant mine de chercher le coupable. Après un instant, j'ai décidé de mettre fin à la plaisanterie.

— Allez, tout le monde dehors ! ai-je crié en agitant les bras vers la porte restée ouverte.

Lentement, ils ont pris le chemin de la sortie, masquant tant bien que mal leur sourire. Tandis que les derniers sortaient, j'entendais les premiers s'esclaffer dans le corridor en regagnant leur bureau. Une fois le dernier hors de ma vue, j'ai verrouillé la porte.

Une minute plus tard, je me suis laissé tomber sur un tabouret, abattu. J'ai lentement retrouvé la paix. Mais que venait-il de se passer au juste? Je me frottais les yeux, tentant d'effacer ce qu'ils avaient vu.

Comme pour me narguer, la grenouille a éclaboussé la paroi de la cuve.

Sophie et Jeff sont venus à ma rencontre silencieusement, cherchant les mots pour me réconforter. Je sentais leur malaise. Après quelques minutes, Sophie a rompu le silence.

— Je suis arrivée la première, a-t-elle chuchoté, incertaine. Comme tous les jours où j'arrive avant toi, j'ai déverrouillé la porte, puis j'ai pris le chemin de mon poste de travail. C'est alors que j'ai aperçu du mouvement dans le réacteur. J'ai d'abord vu les mouches – il devait y en avoir au moins une cinquantaine –, puis j'ai vu la grenouille nager au fond de l'eau.

— Tu es sûre d'être entrée la première et que la porte était bien verrouillée? ai-je insisté.

— Certaine. C'est d'ailleurs la première chose qui m'a traversé l'esprit lorsque j'ai vu de la vie dans la cuve.

— Et lequel de vous deux est parti le dernier hier soir?

— C'est moi, a répondu Jeff. Le réacteur ne contenait rien d'anormal à ce moment-là. J'aurais forcément vu les mouches, elles étaient si nombreuses. Elles sont donc apparues pendant la nuit.

— Et ensuite? ai-je demandé en me retournant vers Sophie.

— Je suis restée paralysée, debout devant la cuve. Je regardais la grenouille nager, incrédule, comme une petite fille qui va au zoo pour la première fois. Après quelques minutes, elle s'est mise à sauter hors de l'eau à répétition, atteinte d'une frénésie incontrôlable. À chaque bond, elle aspirait une mouche de la langue, puis replongeait reprendre son élan et bondissait encore et encore. C'était étourdissant. C'est alors que Jeff est arrivé.

— Sophie m'a fait signe d'approcher sans détourner la tête du réacteur, a continué Jeff. Hypnotisée par le spectacle, elle a crié: “Regarde, il y a une grenouille dans la cuve!” À ce moment précis, un chercheur du labo voisin passait devant la porte restée entrouverte. Attiré par les remous de la grenouille et par le cri de Sophie, il a étiré le cou à travers l'embrasure de la porte, a fait de grands yeux en voyant un animal nager dans la cuve, puis a couru chercher ses collègues.

— Tu connais la suite, a complété Sophie. Tu es arrivé quelques minutes plus tard, alors que la grenouille avait avalé la quasi-totalité des mouches et que la nouvelle avait attiré tout le personnel du deuxième... Voilà, tu en sais autant que nous.

— C'est incompréhensible, ai-je conclu à mi-voix. Ça n'a aucun sens. Mais qui?... comment?... et surtout, pourquoi?

— Appelle le détective, a suggéré Sophie. C'est son métier. Il trouvera plus vite que nous.

— Il chasse les meurtriers, pas les amphibiens.

J'étais encore sous le choc, incapable de prendre la moindre décision. Mécaniquement, j'ai suivi le conseil de Sophie. J'ai laissé toutes les choses dans l'état où je les avais trouvées : le couvercle sur le réacteur, la grenouille dans le réacteur et les mouches dans l'estomac de la grenouille.

Trébuchet saurait mieux que moi où regarder pour tenter d'expliquer ce mystère. Je lui ai aussitôt laissé un message pour lui décrire la plaisanterie dont j'étais l'objet.

Mais aussi étrange que m'avait semblé cet événement, ce n'était rien à côté de ceux qui allaient suivre.

Ton père

Dix-septième lettre

Le 12 novembre

J'ai longtemps cru que ta mère ne mettrait jamais les pieds dans mon laboratoire. Elle m'avait souvent rendu visite dans le local au-dessus de la quincaillerie, mais jamais depuis le déménagement de mes activités chez Genetix.

Peut-être avait-elle peur de se faire dissoudre par mes explications sans fin sur la proportion des énantiomères dans les êtres vivants ; peut-être était-elle simplement une personne normale, à qui ces considérations n'avaient jamais effleuré l'esprit.

Je me rappelle encore les premières fois où je lui ai décrit mes travaux. Elle écoutait poliment, passant sa main dans mes cheveux, risquant parfois un commentaire ou même une question maladroite. Mais l'incompréhension et les années ont eu raison de ses efforts, au point où, feignant d'avoir autre chose à faire, elle a cessé de venir s'asseoir à mes côtés.

À la fin de notre relation, elle ne prêtait plus aucun intérêt à mes recherches. En fait, c'était pis encore : elle faisait de longs détours pour éviter tout contact avec mon univers.

Tu peux donc imaginer ma surprise lorsque, au début de l'après-midi, son visage est apparu dans le cadre de ma porte.

Elle est entrée d'un pas déterminé, tentant de masquer l'effort que lui imposait chaque enjambée en ma direction. Mais, à la façon d'une fillette, elle a baissé les yeux dès que son regard a croisé le mien. Elle s'est immobilisée devant mon bureau, puis, frappée d'une gêne soudaine, a laissé échapper le petit sourire coquin qui creusait jadis la fossette de sa joue droite.

Pendant un instant, j'ai revu la jeune femme qui m'avait séduit pendant mes études. Oui, bien sûr, elle avait pris quelques rides, mais le temps n'avait en rien terni son éclat. J'aurais sans doute tenté de la reconquérir si notre séparation n'avait pas creusé entre nous un abîme infranchissable.

Elle tenait un objet dans la main droite, qu'elle cachait maladroitement derrière son dos. Après une longue hésitation, elle me l'a tendu. C'était une enveloppe. Sans même la saisir, j'ai reconnu le sceau du cabinet d'avocats où travaillait son frère.

— Le divorce ? ai-je risqué.

Elle n'a pas trouvé l'énergie pour ouvrir la bouche, laissant le silence confirmer mes appréhensions. Un long frisson m'a traversé lorsque j'ai réalisé la portée du bout de papier et l'irrévocabilité du geste.

— Comment s'appelle-t-il? ai-je ajouté sans la regarder.

— Arrête. Tu vas te blesser pour rien. J'ai tenu à venir te porter la lettre parce que je trouve inhumain de la faire livrer par un huissier. Ne me fais pas regretter ma visite.

J'ai attrapé l'enveloppe du bout des doigts. Sans l'ouvrir, je l'ai déposée sur le bureau d'un geste lent. Ta mère m'a regardé un instant, puis, ne sachant quoi ajouter, a franchi le seuil de la porte à reculons. C'était aussi douloureux pour elle que pour moi.

Un léger clapotement a attiré son attention vers le réacteur.

— Tiens, tu élèves des grenouilles maintenant? a-t-elle laissé échapper en voyant l'amphibien faire des longueurs dans la cuve.

Ça aura été la dernière phrase qu'elle m'a adressée.

David, tu n'as pas idée à quel point il m'est difficile de te raconter ces événements. Un père ne devrait jamais avoir à faire le récit à son fils de tels détails, qui font partie de sa relation intime. Mais je ne veux rien laisser au hasard. Les malheurs se succèdent maintenant avec une telle célérité que j'aperçois la mort au tournant. Je te relate donc tout sans discernement.

À demain,

Ton père

Dix-huitième lettre

Le 13 novembre

Trébuchet a fait son apparition en fin d'après-midi. En entrant dans le laboratoire, son premier geste a été de vérifier l'état de la porte et des barreaux qui en protégeaient maintenant la vitre. Une fois l'examen terminé, il a pris la direction du réacteur sans même passer me saluer. Il s'est d'abord immobilisé aux abords de la cuve, se frottant le menton de la main droite comme il avait l'habitude de le faire. Je l'entendais marmonner quelques mots alors qu'il scrutait l'appareil, pantois.

D'un coup de patte, la grenouille a éclaboussé la paroi de la cuve.

— Ah bien ça alors, a-t-il mâchonné. C'est bel et bien une grenouille. Mais comment a-t-elle pu…

L'animal se laissait flotter à la surface de l'eau, indolent, yeux et narines à l'air. Intrigué, l'inspecteur a cogné sur la vitre de la phalange du majeur, lançant la grenouille dans une folle course vers les profondeurs. Il a ensuite levé la tête et porté son regard en direction du couvercle.

— Professeur ! a-t-il appelé à haute voix.

— Qu'y a-t-il ? ai-je répondu en accourant.

— Quand avez-vous ouvert le couvercle pour la dernière fois ?

— Ça doit bien faire six semaines. Je peux vérifier dans mes notes si vous voulez une réponse plus précise.

— Non, ça me suffit.

Trébuchet a alors approché un tabouret du réacteur. Il a ensuite examiné ce dernier sous tous les angles possibles, grimpant debout sur l'objet avec sa maladresse habituelle pour en inspecter le couvercle, se couchant sur le sol pour comprendre comment la cuve y était fixée, relevant quelques empreintes digitales au passage. J'imaginais qu'il allait perdre pied à tout instant et se fracasser le crâne contre le sol ou se fracturer une clavicule contre le tabouret.

Il a terminé son examen debout, devant la grenouille, qui se trouvait alors exactement à la hauteur de ses yeux. Les deux s'observaient intensément à une distance de trente centimètres, cherchant à comprendre comment l'autre était apparu de l'autre côté la vitre.

— Comme j'aimerais être dans ta tête, a dit l'inspecteur à la grenouille. L'explication de ta présence dans cette mare s'y trouve sûrement. Le film de toute la scène doit y être enregistré quelque part.

La grenouille n'a rien répondu.

— Les caméras ! ai-je crié en me rappelant leur présence. Mais comment n'y ai-je pas pensé plus tôt ? Suivez-moi.

D'un pas rapide, j'ai pénétré dans mon bureau pour prendre place devant mon ordinateur. Intrigué, l'inspecteur s'est assis à mes côtés.

— Les caméras sont munies d'un détecteur de mouvement, ai-je expliqué pendant que je cherchais les séquences vidéo en naviguant sur le serveur à partir de mon ordinateur. Ça leur évite d'avoir à filmer en continu si rien ne bouge et d'enregistrer des séquences statiques. Nous saurons dans un instant qui est l'auteur de cette mauvaise plaisanterie. Ah, voici ! L'enregistrement de cette séquence a débuté à deux heures trente-sept la nuit dernière, pour se terminer soixante-dix-huit minutes plus tard. Voyons ce qui s'y trouve.

J'ai double-cliqué sur le fichier pour le lancer.

— Mais c'est tout noir ! s'est exclamé Trébuchet. Et quelle est cette grosse tache rouge en haut de l'écran ?

— Cette séquence vidéo a été filmée à l'aide d'une caméra infrarouge. Les sources de chaleur y apparaissent en rouge et l'absence de chaleur en noir. La tache immobile que vous apercevez en haut de l'écran doit être le réverbère se trouvant dans le stationnement, que la caméra a filmé à travers la fenêtre.

L'inspecteur était assis sur le bout de sa chaise, hypnotisé par l'écran noir et sa tache rouge comme s'il s'agissait d'un film passionnant. Il scrutait l'obscurité des yeux, tentant d'y apercevoir un quelconque mouvement.

— Attendez un peu, lui ai-je dit pour le faire patienter. S'il y a de la vie dans le laboratoire, nous verrons d'autres taches rouges entrer dans l'écran et se déplacer. Nous allons bientôt découvrir la silhouette de celui qui a fait le coup.

Après une minute d'immobilité, l'impatience m'a gagné également. J'ai alors commencé à cliquer de façon à faire avancer le film par bonds successifs d'une minute. Après trente minutes, il n'y avait toujours rien à signaler. Après quarante minutes, aucun mouvement. Après cinquante minutes…

— Arrêtez ici ! a lancé Trébuchet. Laissez le film se dérouler à vitesse normale.

Je ne voyais toujours rien de nouveau.

— Regardez bien ici, a indiqué l'inspecteur en pointant le centre de l'écran de l'index. Voyez-vous ces petits points rouges ? On dirait qu'ils dansent.

Au premier coup d'œil, j'ai cru qu'il ne s'agissait que d'une illusion d'optique ou de défauts résultant de la compression vidéo, mais après avoir observé le phénomène pendant une minute, j'ai confirmé l'intuition de l'inspecteur. Les points rouges virevoltaient et tournaient en rond en décrivant un mouvement familier.

— Vous avez raison, ai-je répondu. Ce sont bien nos mouches. Mais elles ne se promènent pas aux quatre coins de la pièce, comme on s'y serait attendu. Elles sont déjà confinées au réacteur !

Mais comment était-ce possible ? Les mouches venaient d'apparaître sous nos yeux, sans intervention externe aucune. Pendant que j'étais perdu dans mes pensées, un des points rouges, immobile au milieu de l'essaim, a semblé s'agrandir légèrement.

— Est-ce que je rêve, a demandé l'inspecteur, ou est-ce que ce point est en train de grossir ?

— Vous ne rêvez pas. Il est maintenant plus gros que tous les autres. Et il est parfaitement immobile.

Pendant que nous échangions des observations sur sa taille et sa forme, la tache rouge s'est mise à remuer légèrement, puis à frétiller. Après un moment nous pouvions clairement discerner les deux pattes postérieures, puis, plus petites, les pattes antérieures. La tache a alors fait un bond prodigieux dans les airs pour replonger dans la cuve : non seulement la grenouille était-elle née, mais elle traversait déjà la cuve à grands élans de brasse.

— Voilà qui conclut l'histoire, a dit Trébuchet d'un ton fataliste. La vie vient de faire son apparition. Vos expériences ont porté fruit plus vite que vous ne l'espériez.

— Pas si vite ! J'ai beau avoir le film sous les yeux, je n'en crois pas une image. C'est insensé !

— Comment expliquez-vous alors, professeur, qu'aucune mouche n'ait volé à l'extérieur du périmètre du réacteur? Si elles avaient pénétré dans la cuve, avec ou sans l'aide d'un intervenant externe, on aurait alors vu des petits points rouges entrer sur l'écran, puis se diriger de la périphérie vers la cuve. Et comme la mouche - bien que domestique - n'est pas l'être le plus facile à dompter, on aurait vu à certains moments les points rouges se balader aux quatre coins de l'écran de façon erratique et imprévisible. Elles sont donc apparues dans la cuve.

— Je vous arrête un instant. Jean-Baptiste Lamarck a lancé l'idée de génération spontanée il y a de ça deux siècles. Et encore, il ne l'admettait que pour de petits organismes simples, créés selon lui spontanément par les lois de la physique. Toujours selon sa théorie, les organismes plus complexes proviendraient de l'évolution lente et progressive des organismes simples, qui se modifiaient intentionnellement pour s'adapter à leur milieu. Je ne vous apprends sans doute pas que plus personne n'adhère à cette théorie de nos jours.

— Mais que faites-vous alors de la grenouille, qui n'a jamais existé à l'extérieur de la cuve et que nous avons vue se former sous nos yeux? Elle a semblé se développer à partir d'une mouche restée immobile quelques instants. Nous avons même assisté à la formation progressive de ses membres avant et arrière. Toute cette évolution n'a duré que quelques minutes. Si la grenouille avait été insérée dans la cuve d'une quelconque façon, nous aurions vu une tache rouge d'une dimension importante se déplacer à travers la pièce et pénétrer à l'intérieur du réacteur, sans compter l'image de celui qui la transportait. Vous ne pouvez nier ce que nous venons de voir.

— J'ai vu les images comme vous et... je ne sais quoi répondre. Je suis mystifié. C'est incompréhensible. Surtout, ne glissez mot à personne de la vidéo que nous venons de visionner. S'il venait à circuler une rumeur voulant que j'aie démontré la génération spontanée dans mon laboratoire, je serais la risée de la communauté scientifique. J'ai assez des créationnistes qui font du piquetage devant ma porte. Le respect de mes pairs est la seule chose qu'il me reste. Et encore, celui de mes collègues du deuxième étage en a pris pour son rhume aujourd'hui.

Pendant que nous discutions, un événement encore plus surprenant s'est produit. La grenouille a disparu !

— Que vient-il de se passer ? a demandé l'inspecteur. Il y a une minute, elle était là et maintenant elle n'y est plus ! C'est à n'y rien comprendre.

— Cette fois, je crois être en mesure d'expliquer le phénomène, ai-je répondu après réflexion. Les amphibiens sont des animaux ectothermes.

— Ectothermes ?

— Pardon, je voulais dire à sang froid. Les amphibiens ne produisent aucune chaleur corporelle et la température de leur corps suit la température ambiante. La grenouille était visible initialement parce que sa température était différente de celle de l'eau de la cuve, permettant à la caméra infrarouge de détecter une variation de quelques degrés. Mais l'animal s'est acclimaté après quelques minutes et est devenu indétectable lorsque la température de son corps est devenue identique à celle de l'eau.

— Ah ! Nous aurons au moins élucidé une énigme aujourd'hui. Pour ce qui est des événements précédents, je suis, comme vous, dans l'obscurité la plus complète.

Trébuchet a haussé les épaules. Il a quitté le laboratoire peu de temps après, le visage baignant dans l'incompréhension.

Ainsi est né le mystère des mouches et de la grenouille. J'y ai finalement trouvé une source de motivation additionnelle, me disant que l'explication de l'apparition de la vie sur Terre permettrait peut-être d'élucider celle, encore plus surprenante, de ces animaux dans le réacteur.

Je n'avais pas idée à l'époque à quel point je pouvais être loin de la vérité.

Ton père

Dix-neuvième lettre

Le 14 novembre

En l'absence de solution, il fallait désormais mettre l'énigme des mouches et de la grenouille derrière nous et reprendre les travaux. Le réacteur étant maintenant contaminé, nous allions devoir recommencer l'expérience à zéro.

Sous l'œil attentif d'Olivier Trébuchet – il avait insisté pour assister à toutes les manœuvres afin de bien comprendre les mécanismes du laboratoire –, Jeff a actionné la grue en tapant quelques commandes sur le clavier de l'ordinateur. Le couvercle du réacteur s'est alors soulevé lentement, émettant un bruit de succion sourd en se détachant du rebord de la cuve. Le sceau d'étanchéité était intact. Sous l'ordre de Jeff, le bras de la grue s'est déplacé latéralement de façon à dégager l'ouverture de la cuve.

L'inspecteur prenait des notes.

Grimpée sur un tabouret, Sophie a entrepris une manœuvre qui sortait quelque peu des balises du protocole expérimental: une épuisette à la main, elle tentait d'attraper la grenouille. L'animal était hélas plus habile à la brasse que Sophie ne l'était au maniement de l'épuisette, si bien que la poursuite a duré un long moment.

Pendant que nous suivions avec attention les vaines tentatives de capture de l'amphibien à travers la vitre de la cuve, Ricardo Bellini est entré discrètement dans le laboratoire.

— Professeur, vos exploits se sont frayé un chemin jusqu'à mon bureau! a-t-il crié.

— Ah! Vous êtes là. Bon sang! Vous m'avez fait faire un saut.

— Je tenais à voir la chose de mes propres yeux, a dit Bellini en se collant le visage sur la vitre, tel un enfant.

— Ainsi, la Création ne serait pas manifestée àtravers un serpent, a-t-il ajouté, mais bien par l'apparition d'une grenouille! Je me doutais que l'auteur de la Genèse s'était trompé quelque part.

Sur ces mots, Bellini a éclaté d'un rire sonore. Stoïque, j'ai fait mine de ne rien entendre.

Une mouche a traversé la pièce.

— Nous venons de perdre plusieurs mois de travail, ai-je répondu sans sourire.

Un mouvement brusque a soudainement détourné notre attention vers le réacteur.

— Ça y est, je l'ai attrapée! s'est exclamée Sophie en levant vers le plafond la grenouille au fond de l'épuisette.

— Enfin, nous allons pouvoir reprendre le travail, ai-je ajouté, soulagé.

— Laissez-moi savoir si vous faites apparaître d'autres animaux, a lancé Bellini d'un air moqueur en quittant le laboratoire. Si vous arriviez à créer des salamandres ou des autruches, c'est Noé qui serait content.

Pendant que Sophie amorçait la procédure de stérilisation du réacteur, Jeff a entrepris de confectionner un nouvel habitat à l'amphibien. Au fond d'un grand bocal sec, il a installé la grenouille, puis, juste à côté, il a déposé une boîte de Petri remplie d'eau - l'idée ne me serait jamais venue d'utiliser ces petits récipients cylindriques transparents comme abreuvoir. Il a refermé le tout avec un couvercle en plastique dans lequel il avait pratiqué nombre de petites ouvertures pour permettre à l'animal de respirer. Il effectuait chaque manœuvre avec grande minutie, démontrant une créativité que j'aurais aimé voir l'habiter pendant ses expériences quotidiennes.

— Nous l'appellerons Jean-Baptiste, a dit Jeff sur un ton solennel en déposant le bocal sur le comptoir, juste devant son poste de travail.

— Jean-Baptiste? a demandé, Sophie, intriguée.

— En l'honneur de Jean-Baptiste Lamarck, qui n'a malheureusement pu assister à l'événement. Je pense qu'il aurait apprécié le geste.

Sophie a lentement secoué la tête en signe de désespoir. L'homme, mort deux siècles auparavant, n'aurait sans doute pas apprécié être l'homonyme d'une grenouille.

— J'irai chercher des plantes aquatiques et quelques insectes cet après-midi pour nourrir Jean-Baptiste, a ajouté Jeff.

Trébuchet a alors refermé son calepin de notes et s'est tourné vers moi.

— Venez avec moi dans votre bureau, a-t-il dit. J'aimerais vous faire part de quelque chose.

L'inspecteur a pris place devant moi et, quelque peu découragé, a semblé méditer un bref instant.

— Je crois avoir résolu la première des deux énigmes, a-t-il lancé en cachant tant bien que mal sa fierté.

— Il y a deux énigmes ? Mais de quoi parlez-vous ?

— Pour se trouver là où nous l'avons découverte hier matin, la grenouille a dû, pendant la nuit précédente, traverser deux barrières infranchissables. Elle a d'abord dû pénétrer dans le laboratoire, dont les portes et les fenêtres sont restées closes, puis dans le réacteur, qui est demeuré scellé par son couvercle. Eh bien, je crois savoir à quel moment la grenouille est entrée dans le laboratoire.

— Je vous écoute, ai-je dit en me penchant vers lui, intrigué.

— Vous m'avez tous trois confirmé que la grenouille n'était pas dans le réacteur la veille de son apparition. Nous avons également établi que personne n'aurait pu pénétrer dans le laboratoire pendant la nuit sans déclencher les détecteurs de mouvement et se faire ainsi filmer par les caméras infrarouges. Comme nous l'avons vérifié ensemble, aucune forme de vie autre que la grenouille et les mouches n'a laissé de trace sur les séquences vidéo. Il ne reste qu'une solution possible à l'énigme: la grenouille et les mouches se trouvaient déjà dans le laboratoire au moment où vous l'avez mis sous clé la veille.

— Mais où se cachaient-elles? Nous aurions aperçu, ou à tout le moins entendu, des bestioles aussi bruyantes.

— C'est la question à laquelle vous allez devoir m'aider à répondre.

— Et comment vais-je vous aider? ai-je demandé, intrigué.

— Avez-vous du papier collant?

— Oui, ai-je répondu, surpris par l'étrange demande. Tenez.

L'inspecteur a sorti une feuille de papier de sa serviette, puis s'est levé en emportant la feuille et le papier collant hors du bureau. Je l'ai suivi jusqu'au réacteur, intrigué. Il a alors grimpé sur un tabouret et a collé la feuille sur l'avant de la cuve, légèrement au-dessus de nos têtes. On pouvait y lire, imprimé en gros caractères:

QUI ÊTES-VOUS?

Trébuchet est redescendu du tabouret avec la grâce d'un rocher dévalant une falaise, évitant au dernier moment de chuter dans l'armoire contenant les boîtes de Petri.

— Prenez soin de bien verrouiller la porte ce soir, a-t-il crié en s'éloignant. Nous aurons la réponse demain.

L'inspecteur, tenant encore le rouleau de ruban adhésif dans la main gauche, a maladroitement refermé la porte en quittant le laboratoire.

Une mouche s'est posée sur la feuille.

À demain,

Ton père

Vingtième lettre

Le 15 novembre

L'idée que quelqu'un puisse pendant la nuit apporter une réponse à la question de Trébuchet me torturait au plus haut point. J'ignorais ce qui pouvait trotter dans la tête de cet enquêteur atypique, mais il avait épinglé sa question sur le réacteur avec une telle assurance qu'il était parvenu à soulever en moi un espoir – infime, je sais – auquel je m'accrochais avec l'énergie du dernier combattant.

J'étais si désespéré, si démuni devant l'ennemi, que j'étais prêt à mettre la science de côté, à permettre à l'inconcevable de pénétrer dans le cercle du possible. J'ai ressenti ce soir-là un sentiment nouveau. Certains l'appellent la foi, mais ce mot est tellement incompatible avec mes méthodes de travail, avec tout ce que représente mon métier, que sa simple évocation me donne des boutons.

Pour la première fois, j'étais disposé à laisser l'inexplicable mettre le pied dans mon laboratoire.

Je n'ai à ce jour confié cette faiblesse à personne d'autre que toi. Je ressens même une certaine gêne aujourd'hui à la pensée d'avoir souhaité que l'impossible se produise.

Comme tu peux l'imaginer, je n'ai pas dormi de la nuit.

Mais, après réflexion, je me suis dit que l'inspecteur n'était sans doute qu'un être lunatique, s'imaginant démasquer l'homme au sarrau blanc en lui demandant simplement son nom. Ses techniques peu conventionnelles ne nous mèneraient évidemment nulle part. Je retrouvais lentement la raison.

Sur cette pensée, j'ai finalement trouvé le sommeil.

Je me suis malgré tout réveillé à l'aube, excité comme un gamin le matin de Noël. J'ai essayé de me rendormir, mais j'avais chassé le sommeil trop loin pour le rattraper. Le temps de déglutir un pamplemousse et un espresso, j'étais prêt à partir pour le laboratoire alors que la ville dormait encore. J'ai décidé de faire le trajet à bicyclette afin de retrouver mon calme. La lumière de l'aurore avait une coloration et une inclinaison apaisantes que n'avait pas celle du crépuscule.

Je dois confesser que j'avais également peur d'arriver trop tôt et de me retrouver face à face à l'homme – ou à la chose – qui devait répondre à notre question.

En arrivant chez Genetix, j'ai salué Greg, le gardien de nuit, encore au poste à cette heure matinale.

Nos chemins se croisaient normalement le soir, lorsque je sortais tardivement. Pour allonger ma course, j'ai emprunté l'escalier jusqu'au deuxième étage. Une fois devant la porte du laboratoire, incapable de contenir ma curiosité, j'ai jeté un coup d'œil à travers la vitre. Entre les barreaux, j'ai entrevu de gros traits noirs sur la paroi du réacteur.

Quelque chose s'était produit pendant la nuit.

Laissant tomber mon trousseau de clefs à deux reprises, j'ai ouvert la porte précipitamment pour courir voir ce dont il s'agissait. En lisant le mot écrit sur la cuve, j'ai de nouveau laissé choir mes clefs. Les quatre lettres m'ont heurté avec une telle force que j'en ai ressenti des vertiges.

On se moquait encore de moi. Mais jusqu'où allait-on pousser la plaisanterie ?

Étourdi, j'ai tiré un tabouret devant le réacteur. J'y ai pris place pour retrouver mes esprits. J'ai dû y rester une bonne heure à contempler les traits noirs grossiers qui ressemblaient plus à un graffiti qu'à une réponse à la question posée.

Trébuchet, que la fébrilité avait également tiré du sommeil aux premiers rayons du soleil, m'a alors rejoint.

— LUCA ? s'est-il exclamé en s'approchant du réacteur. Mais qui est-ce ? C'est quelqu'un que vous connaissez ?

— Hélas, trop bien.

— Alors qu'attendons-nous ? Allons lui rendre visite immédiatement !

— Malheureusement, notre suspect est mort depuis plus de trois milliards d'années.

— En effet, c'est embêtant. Cette fois, c'est vous qui me devez des explications.

J'ai alors donné un cours accéléré de l'histoire de la chimie organique au pauvre inspecteur qui, déboussolé, s'est également tiré un tabouret. Au moment où mes explications touchaient à leur fin, Sophie a fait irruption dans le laboratoire.

— Mais qui peut bien vouloir... pourquoi quelqu'un... comment a-t-il... enfin... je ne comprends pas, a-t-elle balbutié en fixant la cuve.

— Suivez-moi, a dit l'inspecteur en retrouvant ses esprits. Nous allons maintenant voir ce LUCA à l'œuvre.

Nous avons tous trois pris place dans mon bureau, les yeux rivés sur l'écran de l'ordinateur. En me connectant, j'ai découvert une nouvelle séquence vidéo débutant à une heure vingt-deux du matin, mais ne durant cette fois que quatre minutes. L'ordinateur a semblé mettre une éternité à afficher la première image.

— Ah, enfin ! s'est exclamé l'inspecteur en voyant la vidéo s'amorcer.

Pendant quatre minutes, nous avons regardé avec incrédulité une image complètement noire – enfin, presque complètement. En plissant les yeux, on pouvait discerner le contour du réacteur, qui contenait de l'eau légèrement plus chaude que la température ambiante.

C'était tout.

— Selon les caméras infrarouges, aucun animal à sang chaud n'était présent dans le laboratoire la nuit dernière, a conclu Sophie avec déception.

— Nous avons tout de même progressé, a ajouté Trébuchet.

— Vous trouvez? ai-je demandé, sceptique.

— Nous venons d'amorcer un dialogue avec le suspect. Si LUCA daigne nous répondre de la sorte tous les matins, nous en apprendrons davantage sur lui. L'expérience m'a enseigné que les suspects sont des êtres solitaires qui meurent d'envie de partager leur secret. Ils se délieront d'autant plus la langue que leur prouesse est grandiose. Vous ne pouvez imaginer à quel point le désir de partager son exploit démange notre ami en ce moment.

— Alors tentons l'expérience, ai-je répondu. Qu'avons-nous à perdre?

— Il faut faire attention de ne pas le provoquer. Nous avons à faire à un être intelligent et imprévisible, qui pourrait commettre des gestes regrettables simplement pour marquer un point dans le feu de la conversation.

Je n'arrivais pas à me convaincre que nous allions dialoguer avec un interlocuteur portant le nom d'un microbe sous le regard désintéressé d'un amphibien.

Ton père

Vingt et unième lettre

Le 16 novembre

Les événements se sont bousculés à si vive allure au cours des derniers jours que j'ai omis de te tenir au fait de nos plus récents développements scientifiques.

Au cours des derniers mois, nous avions réussi à synthétiser une trentaine d'acides aminés, dont les vingt nécessaires à la vie. C'était un bon début, mais d'autres l'avaient déjà fait avant nous. Deux semaines avant que LUCA interrompe la réaction, nous avions cependant été témoin d'un événement extraordinaire : l'apparition de deux nucléotides, l'uracile et la cytosine, en solution dans le réacteur. Je soupçonne que l'irradiation aux rayons ultra-violets et l'injection de phosphate dans le mélange y étaient pour quelque chose. Les nucléotides, tu t'en souviens sans doute, sont les briques avec lesquelles sont construites les molécules d'ARN et d'ADN. Avec l'apparition de ces molécules, nous venions de faire un pas important vers la synthèse d'un organisme capable de se reproduire.

Si LUCA – le vrai, évidemment, pas l'énergumène qui m'importunait – n'était qu'une simple chaîne d'ARN, comme nous le supposions, alors nous venions d'expliquer la formation de deux des quatre nucléotides entrant dans sa composition. Il ne nous restait plus qu'à réussir la synthèse de l'adénine et de la guanine pour avoir en main toutes les pièces du puzzle.

La contamination du réacteur par les mouches et la grenouille nous avait cependant contraints à interrompre la réaction. Sophie et Jeff se sont empressés de nettoyer la cuve et de reprendre le protocole expérimental depuis le début. Le réacteur de nouveau aseptisé, nous étions prêts à relancer l'expérience.

J'allais profiter de cette interruption pour modifier quelque peu le protocole. Je savais que l'adénine et la guanine, contenant deux cycles de carbone et d'azote, étaient nettement plus complexes que les deux nucléotides que nous venions de synthétiser. Si nous n'avions obtenu que l'uracile et la cytosine, c'est que les conditions de la réaction n'étaient pas propices à l'apparition des deux autres. Il manquait un ou plusieurs éléments essentiels à leur synthèse spontanée.

Curieusement, c'est d'un événement datant de quelques années avant ta naissance qu'a germé l'idée qui allait nous permettre de faire un bond en avant : en septembre 1969, une météorite de grande taille est tombée à Murchison, en Australie. Bien qu'elle se soit désintégrée en un grand nombre de roches plus petites sous l'effet de l'atmosphère, on a pu prélever plus de cent kilos de débris au sol. La coïncidence a voulu que cet objet tombe du ciel à peu près au moment où les astronautes revenaient de leur premier voyage sur la Lune, si bien que de nombreux laboratoires étaient déjà outillés et prêts à étudier des spécimens de roche venant de l'espace.

L'analyse des morceaux de la météorite a révélé la présence de molécules organiques, dont plus d'une centaine d'acides aminés différents. Les isotopes de carbone formant ces molécules ont bel et bien permis de confirmer leur nature extraterrestre, excluant la contamination terrestre comme explication à leur présence. Deux des molécules présentes ont retenu mon attention : l'adénine et de la guanine, celles-là mêmes que nous cherchions à faire apparaître dans le réacteur. C'était là un événement excitant : nous savions désormais que les bases de l'ARN et de l'ADN avaient fait leur apparition ailleurs dans la galaxie.

Il aurait été facile de conclure que la vie avait pris naissance dans l'espace et de simplement injecter ces deux nucléotides dans la cuve comme si une météorite venait d'y tomber. Cette opération aurait simplement eu pour effet de repousser plus loin la réponse à la question, car il faut bien que ces molécules aient fait leur apparition quelque part, que ce soit sur Terre ou ailleurs.

J'ai longtemps cherché ce qui avait permis à ces molécules complexes de naître sur un bloc de matière voguant à la dérive dans l'espace. Ce n'est que récemment que la réponse m'est apparue : c'était grâce à la glace ! Une comète n'est après tout qu'un amas de glace et de roche orbitant autour du soleil. Bien entendu, il n'en reste que les roches après son entrée dans l'atmosphère.

Nous avions un léger problème : pour créer de la glace dans la cuve, il fallait pouvoir y faire baisser la température sous zéro. J'allais entreprendre une modification importante du réacteur au cours des jours suivants, ajoutant des composantes réfrigérantes à l'extérieur de la cuve, de façon à permettre à l'expérience de se poursuivre pendant les travaux. Il fallait éviter d'insérer un système de réfrigération à l'intérieur du réacteur, ce qui en aurait assurément diminué l'étanchéité tout en risquant de contaminer la solution avec des liquides réfrigérants.

J'ai passé la majeure partie de la journée à tenter d'identifier un lien de causalité entre la présence de glace et la synthèse de l'adénine et de la guanine. Ce lien n'était alors qu'une intuition, mais puisque j'avançais dans l'obscurité, cette intuition en valait bien une autre.

Vers la fin de l'après-midi, Olivier Trébuchet m'a tiré de mes rêveries en faisant irruption dans le laboratoire. D'un pas vif, il a pris le chemin du réacteur, s'est tiré un tabouret et a grimpé dessus, laissant tomber au fil de sa pénible ascension son téléphone cellulaire et une poignée de monnaie. Une fois au sommet, il a tiré de sa poche une feuille de papier et du ruban adhésif – il avait visiblement conservé mon rouleau. Il a épinglé un nouveau message sur la cuve :

QUE VOULEZ-VOUS ?

Après avoir ramassé ses petits, l'inspecteur a filé hors du laboratoire comme si nous n'y étions pas.

Nous allions en savoir un peu plus le lendemain matin.

Ton père

Vingt-deuxième lettre

Le 17 novembre

J'ai eu une idée – un peu simple, je l'admets – afin de découvrir comment LUCA s'était introduit dans le laboratoire au cours des jours précédents : à la fermeture des locaux, ce soir-là, j'allais demeurer caché dans mon bureau et tenter de le prendre sur le fait. Si les caméras infrarouges n'y avaient rien vu, un homme armé de ses cinq sens y observerait peut-être quelque chose.

Mieux encore, j'allais verrouiller les deux portes du laboratoire de l'intérieur. De cette façon, ni LUCA ni personne ne pourraient entrer par les voies naturelles.

Seul dans l'obscurité, j'ai combattu le sommeil jusque vers quatre heures du matin.

Toujours rien.

Puis, mon métabolisme a pris le dessus. Sournoisement, un engourdissement m'a envahi, de légers frissons m'ont parcouru le dos, mes jambes se sont alourdies. Je ne me rappelle ni m'être endormi, ni à quel moment ma tête s'est déposée sur mon bras.

Je me suis réveillé en sursaut alors que la lueur de l'aube poignait à l'horizon. J'avais bavé abondamment sur mon avant-bras et j'avais rêvé à profusion. Un de mes rêves me donnait même une explication farfelue de l'apparition de la vie sur Terre : des robots guidés par un maître lointain étaient venus sur notre planète pour y déposer les premières molécules organiques. La Terre était le réacteur et nous étions le résultat de l'expérience. Je me suis cependant réveillé avant que l'expérimentateur n'ait eu le temps d'ouvrir le couvercle du réacteur.

Le réacteur !

Un coup d'œil rapide à mon téléphone portable : il n'était que cinq heures moins quart. Je n'avais finalement dormi que quarante-cinq minutes. Il aurait fallu un hasard incroyable pour que LUCA se manifeste pendant ce court intervalle. Cette idée improbable me démangeait cependant à tel point que je n'arrivais plus à rester terré derrière mon bureau. Je devais m'assurer que rien ne s'était produit entre-temps.

Lentement, j'ai tendu la tête hors du cadre de la porte, de façon à entrapercevoir la cuve. Filtrant à travers sa paroi, la lumière du demi-jour a confirmé mes appréhensions : il était trop tard.

LUCA était passé. Et il avait monté le ton d'un cran.

VOTRE EXTINCTION

La réponse apparaissait en gros caractères sur le réacteur, formée, comme la fois précédente, de traits noirs grossiers.

Rien ne me servait à présent de demeurer caché. J'ai allumé les lumières et je suis resté assis sur le canapé près de l'entrée du laboratoire. Les yeux au niveau de la serrure, j'ai constaté qu'elle était toujours verrouillée de l'intérieur. Même en possession de la clef, LUCA n'avait pu cette fois-ci pénétrer dans le laboratoire.

À moins qu'il n'y soit encore !

Mon pouls est passé d'*allegro* à *prestissimo*. Le sommeil ne me trouverait définitivement plus. Ne me sentant plus en sécurité, j'ai appelé la réception.

— Vite ! Envoyez des agents de sécurité au deuxième !

— Que se passe-t-il ?

— Il y a eu une autre intrusion. Je pense que l'homme se trouve encore dans le laboratoire.

— Nous arrivons tout de suite.

Quelques secondes plus tard, on a cogné violemment à la porte. J'ai ouvert au garde, puis j'ai verrouillé de nouveau derrière lui.

— Professeur, mais que faites-vous ici à cette heure ? Le soleil se lève ! Allez vous coucher.

— Pas question ! je veux démasquer cet homme. Allez garder l'autre porte et je garderai celle-ci. Nous amorcerons la fouille lorsqu'il fera jour et que nous aurons des renforts.

— Si vous insistez, mais je ne vois personne d'autre que vous dans votre laboratoire. Êtes-vous certain de ne pas avoir rêvé?

Sans conviction, l'homme est allé se poster devant la sortie de secours. Deux heures ont passé.

Dans l'attente, j'ai remarqué qu'il n'y avait plus de mouches dans le local depuis que Jean-Baptiste y avait établi domicile. Cet amphibien allait après tout avoir une certaine utilité.

Olivier Trébuchet est arrivé le premier. Il s'est évidemment buté à la porte, que j'ai aussitôt déverrouillée. Selon son habitude, il a filé tout droit à la cuve sans même me saluer.

L'inspecteur a longtemps examiné la réponse à sa question.

— Hum… concis comme réponse, vous ne trouvez pas? a demandé Trébuchet.

— Je ne sais pas. C'est la première fois que je cause avec une bactérie.

— Très drôle, a-t-il répondu sans rire.

L'inspecteur s'est alors mis à parcourir une à une les poches de son pardessus à la recherche d'un objet.

— Remarquez que la réponse de LUCA vous est destinée, même si c'est moi qui ai posé la question, m'a-t-il lancé sans se retourner.

— Merci, c'est rassurant.

— Je trouve d'ailleurs que notre ami emploie un vocabulaire un peu particulier. "Extinction", c'est le jargon d'un biologiste, ça, pas celui d'un fanatique.

— En effet. Je m'attendais plutôt à trouver un verset de l'Ancien Testament. Peut-être nous trompons-nous de cible.

— Notre ami aurait donc une formation scientifique. Peut-être travaille-t-il chez Genetix ?

Trébuchet a continué à fouiller les poches de son manteau avec frénésie.

— Ah ! Le voici ! a-t-il lancé avec soulagement.

L'inspecteur a sorti un appareil photo de la poche intérieure de son pardessus et a entrepris de photographier les lettres du message sous tous les angles, s'interrompant parfois entre les clichés pour regarder la calligraphie de plus près.

— Ça, c'est une bonne nouvelle ! s'est-il exclamé en traçant les lettres dans les airs de l'index.

— Mais quoi donc ? ai-je demandé, surpris. L'annonce de mon extinction ?

— Mais non, voyons ! Le fait que LUCA vous ait menacé.

— Ah, bon. À la première lecture, ça ne m'était pas apparu comme étant une si bonne nouvelle que ça.

— Mais oui, pensez-y un instant, a dit Trébuchet en prenant une autre photo du texte sur la paroi du réacteur. Qu'avions-nous vu jusqu'ici ? Un peu de vandalisme, quelques versets bibliques, un système d'alarme trafiqué, l'apparition inexpliquée d'une grenouille et de quelques mouches, un message écrit sur la paroi de la cuve. Rien pour émouvoir mes supérieurs. Mais ça, ça change tout !

— Je ne vous suis pas.

— Vous êtes maintenant l'objet d'une menace de mort ! Je vais de ce pas ouvrir une enquête officielle et le service des crimes contre la personne me donnera les moyens de faire enquête. Vous voulez des gardes du corps, des patrouilleurs, une filature, de l'équipement d'écoute électronique, des analyses poussées en laboratoire, eh bien vous les aurez.

Le petit inspecteur venait de retourner la situation à notre avantage.

— Allez, je n'en peux plus, ai-je lancé en bâillant. Cette fois je vais vraiment me coucher.

— Bonne nuit, professeur.

J'ai quitté le laboratoire la tête lourde.

Allez, David, on reprend demain.

Ton père

Vingt-troisième lettre

Le 18 novembre

L'idée que LUCA puisse être l'un d'entre nous m'a trotté dans la tête plusieurs jours. J'ai commencé à porter une attention particulière aux allées et venues des gens autour de moi.

La première chose qui a attiré mon attention a été l'horaire irrégulier de Jeff. Je pensais auparavant – j'ai tendance à simplifier les choses, je sais – que les gens entraient dans deux catégories : ceux qui se lèvent tôt et les autres. Jeff n'entrait dans aucune des deux. Il pouvait arriver au laboratoire à six heures du matin un jour et à dix heures le lendemain.

Ce qui me frappait n'était pas le fait que son cas résiste à ma classification, mais surtout que ses habitudes aient changé dernièrement. Du jour au lendemain, son horaire était passé de parfaitement régulier à totalement imprévisible.

Le comportement de Jeff était au mieux – comment dire ? – incompréhensible. Lui qui était si affable et si curieux de vérité scientifique à son arrivée déambulait maintenant dans le laboratoire comme un robot. Le seul événement qui avait semblé allumer une lueur dans ses yeux au cours de la dernière année avait été l'apparition de la grenouille. Et encore, il semblait moins intéressé à comprendre comment elle avait fait son apparition dans un réacteur scellé par un couvercle métallique d'une tonne qu'à la nourrir et à tenter de recréer son habitat naturel dans un bocal. Il en prenait d'ailleurs un soin jaloux, presque maladif, au point où j'étais maintenant convaincu qu'il allait s'effondrer en larmes le jour de la mort de l'amphibien.

L'idée de déposer une goutte de cyanure dans la nourriture de l'animal m'avait, je l'avoue, maintes fois effleuré l'esprit, tant j'espérais chasser le fantôme qui avait pris la place de mon technicien de laboratoire. Mes méthodes manquaient quelque peu de pédagogie et de délicatesse – tu peux toi-même en témoigner.

Pendant que j'étais absorbé dans mes pensées, Ricardo Bellini a fait une autre de ses entrées remarquées dans mon bureau.

— Alors, professeur, comment va notre grenouille ?

— Ah pour ça, elle se porte très bien. C'est moi qui vais moins bien.

— En effet, vous avez l'air fatigué.

— Pour tout vous dire, je suis inquiet.

— Qu'y a-t-il ? a-t-il dit en s'asseyant.

— Les derniers développements me portent à croire que les événements qui nous préoccupent ne seraient pas l'œuvre d'un intrus, mais celle d'un homme se trouvant déjà dans l'édifice.

— Vous voulez dire que les actes de sabotage auraient été commis par un employé de Genetix?

— Je n'irais pas jusque-là, mais je vois difficilement comment quelqu'un aurait pu réaliser de tels prodiges de l'extérieur. J'ai moi-même tenté de garder les issues du laboratoire sans succès. Pour le dire autrement, je n'ai jamais travaillé dans un lieu aussi bien gardé qu'ici et je n'ai pourtant jamais été si souvent victime de vandalisme. Je vous laisse tirer vos conclusions.

Bellini a froncé les sourcils quelques instants.

— Je partage vos préoccupations. Dès ce soir, je ferai poster des gardiens en permanence aux deux portes de votre laboratoire. Nous finirons bien par démasquer le coupable.

— Merci. Espérons que ça me permettra désormais de me concentrer davantage sur mes travaux.

Songeur, Bellini a quitté le laboratoire.

Au fond, je savais très bien que ces mesures étaient superflues. J'avais déjà constaté que LUCA ne semblait pas emprunter le même chemin que les êtres humains. La surveillance accrue permettrait au moins à Bellini de mieux dormir et de montrer qu'il n'était pas resté inactif devant les menaces. Du même coup, elle me permettrait de confirmer ma thèse selon laquelle les portes n'étaient d'aucune utilité à LUCA pour entrer ou sortir du laboratoire.

Je commençais également à mieux cerner le profil du suspect que nous recherchions. Celui que je croyais au départ n'être qu'un des nombreux manifestants postés devant la porte de Genetix avec – il faut l'admettre – plus de détermination et de moyens que les autres, semblait être un homme éduqué, capable de parler un langage scientifique, de dialoguer avec intelligence, de répliquer avec insolence, de se dévoiler de façon progressive et calculée de manière théâtrale.

Même Olivier Trébuchet, que j'avais initialement sous-estimé, semblait nager en eaux troubles, s'accrochant avec l'espoir d'un gamin à chaque nouvelle perche que lui tendait LUCA. Il avait tout de même été plus perspicace que moi, osant amorcer le dialogue avec l'inconnu en inscrivant simplement une question sur le réacteur.

J'ignore d'ailleurs ce qui lui avait donné l'idée de tenter ce geste illogique.

En franchissant la porte du laboratoire ce soir-là, j'ai noté que les gardiens promis par Bellini étaient déjà en poste.

À demain,

Ton père

Vingt-quatrième lettre

Le 19 novembre

En arrivant au bureau le lendemain matin, un message d'Olivier Trébuchet m'attendait dans ma boîte vocale:

«Professeur, venez me rejoindre à onze heures au Café Insoluble. J'ai quelque chose à vous montrer. À tout de suite.»

Je n'ai évidemment rien fait qui vaille de la matinée, tentant à chaque instant de deviner ce que l'inspecteur voulait si urgemment me montrer.

J'ai quitté le bureau à onze heures moins vingt. Jeff n'était toujours pas arrivé. J'ai fait le trajet jusqu'au café à bicyclette.

Trébuchet m'attendait à une table sur la terrasse. J'ai pris place devant lui. Il a alors sorti de sa serviette quelques photos, qu'il a étalées devant moi.

— Vous connaissez cet homme? m'a-t-il demandé en indiquant la première photo de l'index.

Au centre de l'image, un homme en sarrau, au visage habilement masqué par une paire de lunettes protectrices et un filet à cheveux, marchait vers la gauche en faisant presque dos à la caméra.

— Ne serait-ce pas notre ami de la dernière fois, ai-je demandé, celui qui avait désactivé le système d'alarme pour venir fracasser l'étagère dans le laboratoire ?

— Exactement. D'ailleurs, si vous regardez attentivement, vous remarquerez qu'il porte les mêmes souliers bruns à semelle noire que lors du premier incident.

— En effet. Mais où avez-vous pris cette photo ?

— Dans votre laboratoire, a-t-il répondu calmement. En fait, ce n'est pas moi qui l'ai prise, mais bien une caméra de sécurité.

Stupéfait, je me suis laissé abattre sur le dossier de ma chaise. L'homme avait donc pénétré dans le laboratoire. À en juger par l'ensoleillement des lieux et la clarté des fenêtres en arrière-plan, il l'avait même fait en plein jour.

— De quand date cette photo ? ai-je demandé.

— Vous vous rappelez sans doute de mon intuition selon laquelle la grenouille et les mouches devaient nécessairement se trouver dans le laboratoire avant qu'il n'ait été verrouillé la veille de leur apparition ?

— Oui.

— Eh bien, en poussant cette idée plus loin, j'ai conclu que la clef du mystère se trouvait dans le passé. Avec l'aide du responsable de la sécurité de Genetix, j'ai épluché les séquences vidéo de toutes les caméras de sécurité entourant votre laboratoire à la recherche d'un indice nous ayant échappé au cours des jours précédents. Les images que je vais vous montrer ont été prises la veille de l'apparition de la grenouille entre quinze heures vingt et quinze heures vingt-deux.

Trébuchet a fait une courte pause pour prendre une gorgée de son capuccino, histoire de me faire gigoter sur ma chaise et d'étirer le suspense.

— Regardons maintenant la séquence d'images dans l'ordre, a-t-il repris après avoir lentement dégluti son café. Notre suspect entre dans le laboratoire en plein jour, à la vue de tous, puis se dirige vers le mur longeant le réacteur. Il ouvre la porte de cette armoire vitrée, semble déplacer quelque chose à l'intérieur, ici, en prenant bien soin de tourner le dos à toutes les caméras, puis referme l'armoire et quitte les lieux rapidement. Maintenant, observez bien ces trois images.

L'inspecteur a disposé devant moi trois photos agrandies de l'armoire en question, que l'agrandissement avait rendues floues. À première vue, elles semblaient identiques.

— La première a été prise quelques secondes avant l'intervention de notre homme, a-t-il commencé. Regardez l'armoire et notez bien ce qui se trouve sur la tablette du milieu.

— Il y a quatre boîtes de Petri bien alignées, ai-je répondu.

— Bien. La seconde montre la même armoire tout juste après son départ. Voyez-vous la différence ?

— Un objet cubique est apparu sur les boîtes de Petri.

— Et maintenant, regardez bien la troisième photo, prise tôt le lendemain matin, au moment où Sophie a déclenché la caméra en ouvrant la porte du laboratoire.

— L'objet cubique a disparu ! Notez que les boîtes de Petri n'ont toujours pas bougé.

— Exactement, a conclu Trébuchet en s'adossant à son fauteuil.

— Alors vous pensez que…

— … la grenouille et les mouches se trouvaient à l'intérieur du petit objet cubique que l'homme a apporté dans le laboratoire. Vous avez deviné ma pensée.

— Mais comment l'objet s'est-il volatilisé, transférant du coup les animaux dans le réacteur ? ai-je demandé.

— Ça, c'est la seconde énigme, que nous éluciderons bientôt.

Je regardais les photos en silence, bouillant en pensant que l'homme au sarrau blanc avait eu l'insolence de perpétrer son crime sous nos yeux.

Après un instant d'observation, un détail m'a frappé : sur certaines des photos où on apercevait l'homme, on voyait Sophie en arrière-plan en train de travailler. Sur ces mêmes images, le poste de travail de Jeff était toujours vacant. J'ai gardé cette remarque pour moi, préférant ouvrir l'œil et la corroborer avec d'autres faits avant de la partager avec l'inspecteur.

— Et comment comptez-vous vous y prendre pour résoudre la seconde énigme ? ai-je lancé à Trébuchet.

— Oh, ce n'est pas moi qui vais la résoudre, a-t-il répondu calmement.

— Et pourquoi donc ?

— Tout simplement parce que je n'ai pas les connaissances suffisantes.

— Et alors qui la résoudra ?

— Réfléchissez un instant. Qui sait comment fonctionne le réacteur et tout l'équipement spécialisé qui l'entoure ? Qui a une maîtrise suffisante de la biologie pour expliquer ce qui se passe dans la cuve ? Vous la résoudrez bien avant moi.

Trébuchet avait raison. Si je m'y mettais sérieusement, j'avais infiniment plus de chances que lui d'élucider le reste de l'énigme.

— Il y a cependant une chose qui m'intrigue depuis le début, ai-je lancé.

— Quoi donc ?

— Pourquoi accordez-vous tant d'importance aux événements qui hantent mon laboratoire ? Quel intérêt ont pour vous cette grenouille et ces mouches ? N'avez-vous pas des meurtres ou des enquêtes plus sérieuses à élucider quelque part ? Je me sens parfois mal à l'aise d'accaparer autant de ressources des forces policières alors qu'il se commet chaque jour des crimes plus grave que les événements anodins qui se déroulent dans mon laboratoire.

L'inspecteur a calé le reste de son café, puis a bruyamment déposé la tasse sur la soucoupe.

— C'est que vous regardez les choses à l'envers, a-t-il répondu. J'ai élucidé des centaines de meurtres tous plus crapuleux les uns que les autres au cours de ma carrière, voyez-vous. En règle générale, j'arrive sur les lieux du crime le lendemain pour y trouver le cadavre d'un homme poignardé, mort au bout de son sang, celui d'une femme frappée à coups de fourchette pendant son petit déjeuner, le corps inanimé d'un enfant étouffé dans son sommeil. Bon, j'arrête ici. Chaque fois, un sentiment d'impuissance d'une intensité indescriptible m'envahit. Et si j'étais arrivé avant ? Ce n'est souvent qu'une question de quelques heures et, après tout, la plupart des indices que je relève ont été laissés avant la perpétration du crime. Avec un peu de chance et d'intuition, quelqu'un aurait pu les découvrir avant que le mal ne soit fait. Si seulement j'avais la capacité de les déceler plus tôt, mon métier ne consisterait plus à tenter d'identifier le coupable après le meurtre, mais bien à sauver la victime avant que le meurtrier ne la tue.

— Je veux bien, mais ce que vous décrivez là est une utopie.

— Vous avez raison, a répondu l'inspecteur. La plupart des crimes se produisent si vite que personne n'aurait pu les voir venir. Il m'arrive cependant de ressentir à l'occasion, en présence de faits étranges, un sentiment inexplicable qui me laisse croire que le crime n'a pas encore été commis. Appelez ça une prémonition, un déjà-vu – comme vous le voulez. C'est le fruit de l'expérience. Après avoir observé d'innombrables scènes de crime et remonté le fil du temps jusqu'au coupable, j'ai développé un sixième sens qui me permet de distinguer les meurtres des accidents, les éléments liés au crime de ceux qui ne le sont pas, les événements qui ont poussé le tueur à agir de ceux qui se sont produits après la mort de la victime.

— Et où voulez-vous en venir ?

— Mon instinct me dit que je suis aujourd'hui au beau milieu d'une scène de crime et que j'observe les indices d'un meurtre qui n'a pas encore été commis. Il me dit également que vous en serez la victime.

La conclusion de l'inspecteur a jeté un léger froid dans la conversation. J'avais bien sûr ressenti la menace – après tout, c'était moi qui avais contacté la police –, mais me faire expliquer par un vieux routier comme Trébuchet que j'allais bientôt me faire assassiner m'avait glacé le sang. Du coup, les agents de sécurité offerts par Roberto Bellini me semblaient moins superflus.

L'inspecteur a replacé les photos dans sa serviette, laissé un pourboire dans la soucoupe, puis quitté la terrasse.

Je ne me suis jamais senti aussi vulnérable que ce jour-là. Assis seul à la table d'un café au milieu de la foule, l'idée que j'allais bientôt mourir me paralysait au point où je suis resté immobile pendant un moment interminable, incapable de commander à mes jambes de me lever. Trébuchet venait en quelques mots de me dérober tous les jours qu'il me restait à vivre, toutes les découvertes que je tardais à faire, tous les voyages que je n'avais pas entrepris faute de temps, et surtout le repos mérité après tant d'efforts. Mes rêves se volatilisaient un à un sous mes yeux, me laissant pour seule consolation un présent incertain.

C'était le 27 octobre dernier. Tu as sûrement noté que c'est la date de la première lettre que t'a remise Me Delordre. Le soir même, je me suis assis et j'ai commencé à écrire avec une ferveur indomptable. Je n'ai pas arrêté depuis.

Ton père

Vingt-cinquième lettre

Le 20 novembre

Malgré toutes les tuiles qui s'abattaient sur nous, nous avons poursuivi nos expériences et notre lente progression. Toutes ces interruptions ont malgré tout eu quelques effets positifs, nous forçant à nous arrêter un peu, à regarder autour de nous, à faire le point.

Allez, je te soûle encore un peu de chimie organique, puis j'arrête, c'est promis.

La réfrigération de la cuve, combinée à l'injection de cyanamide, de phosphates inorganiques et de quelques autres composés inorganiques, nous a permis de synthétiser les deux nucléotides qui manquaient à l'appel: l'adénine et la guanine.

En refroidissant la cuve, nous avions recréé des conditions semblables à celles régnant sur une comète ou encore sur une Terre gelée, selon le scénario qu'on préfère retenir. Lorsque l'eau se transforme en glace, des blocs de cristaux purs se forment, regroupant tous les composés en suspension dans l'eau dans des gouttelettes microscopiques dispersées au sein de la structure cristalline. La concentration de ces composés augmente fortement au sein de ces gouttelettes, précipitant certaines réactions chimiques qui ne pourraient autrement pas avoir lieu. Nous avons ensuite alterné les cycles de réchauffement et de refroidissement de façon à simuler les changements climatiques et à permettre aux gouttelettes de se mélanger entre elles. Bref, tout ce qui compte, c'est que nous avions maintenant entre les mains les quatre bases entrant dans la composition de l'ARN.

Mais toujours aucune molécule d'ARN.

Il nous fallait découvrir comment catalyser la réaction qui formait le lien entre les nucléotides. Ce n'étaient cependant pas les idées qui manquaient pour poursuivre l'expérience. En fait, nous pouvions faire varier un nombre de facteurs si grand que c'en était étourdissant.

Il fallait également parvenir à synthétiser indépendamment toutes les protéines qui catalysaient cette réaction. La plupart de ces molécules sont aujourd'hui synthétisées à partir de l'ADN, structure qui n'existait évidemment pas à l'époque.

Chaque avancée soulevait plus de questions qu'elle n'en résolvait.

Je te laisse ici.

Ton père

Vingt-sixième lettre

Le 21 novembre

Jeff était maintenant devenu à peu près inutile dans le laboratoire. Sophie et moi ne pouvions plus compter sur lui tellement son horaire était devenu chaotique et son attitude nonchalante.

Même présent, il était si distrait qu'il risquait à tout moment de saboter l'expérience en se trompant d'éprouvette ou en oubliant une solution sur le brûleur. Je me voyais désormais contraint de passer derrière lui et de contre-vérifier toutes ses mesures, de refaire ses calculs, même de le surveiller pendant les manipulations délicates.

Autant dire qu'il me coûtait plus de temps qu'il m'en sauvait.

Il me fallait intervenir. Avant de le confronter, j'ai fait venir Sophie dans mon bureau pour savoir comment l'aborder.

— As-tu remarqué des changements dans le comportement de Jeff dernièrement? lui ai-je demandé.

— Oui, il n'est plus le même. Quelque chose le perturbe.

— Si seulement on pouvait savoir ce qui se passe. Je commence à en avoir assez. Je vais avoir une conversation franche avec lui aujourd'hui.

— N'y va pas trop fort, a-t-elle suggéré à mi-voix.

— Que veux-tu dire?

— Il est très fragile. Si tu le prends de front, tu risques de l'enfoncer davantage.

— Tu as l'air de savoir beaucoup de choses sur lui.

Sophie a baissé les yeux. Pendant un long moment, elle a joué avec un bouton de son sarrau tout en laissant son regard vagabonder sur le sol. Son visage a rougi légèrement.

— Nous avons eu une relation, m'a-t-elle confié avec gêne.

Depuis son adolescence, Sophie n'avait rien partagé de sa vie sentimentale avec moi. Ma personnalité un peu âpre ne faisait probablement pas de moi le meilleur confident. Cet aveu spontané lui avait visiblement demandé un effort énorme.

Je suis resté silencieux.

— Ça a duré trois mois, a-t-elle ajouté. Je l'ai laissé il y a quelques semaines. Il l'a très mal pris.

De toute ma vie, je n'avais jamais vu ta sœur si mal à l'aise. Le bouton de son sarrau tournait maintenant dans tous les sens entre son pouce et son index. Parfois, elle redressait furtivement le regard, pour le rabattre aussitôt.

— Je comprends que ça nuit au climat dans le laboratoire et que ça ralentit tes travaux, a-t-elle continué, mais je pense sincèrement qu'une intervention de ta part ne l'aidera pas à remonter la pente. Il est vraiment déprimé et très fragile.

— Alors, je fais quoi?

— Rien. Il va s'en sortir seul. Laisse le temps faire son œuvre. De toute façon, tu n'as jamais été très bon avec les choses sentimentales. Tu ne saurais même pas comment l'aborder.

— Mais il doit bien y avoir quelque chose qui lui permette de s'en sortir plus vite?

— Tu sais, papa, la vie n'est pas une immense éprouvette dans laquelle on tente des expériences jusqu'à ce qu'on obtienne le résultat attendu. Nos actions sont souvent irréversibles et on n'a alors qu'une seule chance de réussir. Dans son état actuel, Jeff fait un effort considérable simplement pour se pointer au labo chaque jour. Si tu le brusques, il risque d'être incapable de se présenter demain.

— Tu as sans doute raison.

Jeff nous regardait à travers la fenêtre de mon bureau. Ses yeux vitreux semblaient inhabités. Sophie a lentement regagné son poste de travail.

La peine d'amour de Jeff était une mauvaise nouvelle pour l'avancement des travaux, mais, au moins, elle avait le mérite d'expliquer ce qui clochait chez lui. J'ai dès lors cessé de porter attention à ses allées et venues et oublié les soupçons qui pesaient sur lui.

Il fallait chercher ailleurs.

Ton père

Vingt-septième lettre

Le 22 novembre

Si tout se déroule conformément à mes instructions, tu es toujours confortablement assis dans la salle de réunion de Me Delordre, sur la même chaise qui craque lorsqu'on s'y adosse. Je m'excuse d'ailleurs de t'y faire revenir si souvent, mais il n'existe pas d'autres moyens de te faire parvenir toutes ces missives d'outre-tombe.

Tu trouveras quelques documents annexés à cette lettre. Avant de t'en décrire la nature, je te dois quelques explications sur la structure de l'actionnariat de mon entreprise. Tu me pardonneras cette parenthèse juridique, qui nous éloigne quelque temps de notre histoire et de la piste de mon assassin, mais elle est nécessaire pour que les résultats de mes travaux me survivent et que tu en bénéficies.

Comme tu le sais, j'ai entrepris mes recherches alors que tu étais tout jeune et que ta sœur venait à peine de naître. J'ignorais à l'époque où mes travaux me mèneraient et combien de temps ils me tiendraient occupé. Je me doutais cependant que j'amasserais au fil des ans un riche héritage scientifique et que mes découvertes susciteraient la cupidité de mes pairs. Je tenais absolument à protéger ce bagage et à m'assurer qu'il demeure entre bonnes mains.

Sous le conseil de ton oncle Albert – c'est sans doute la seule fois que je l'ai écouté –, j'ai alors créé une société dont nous sommes tous, ta sœur, ta mère, toi et moi, actionnaires. À l'époque, Sophie et toi n'avez évidemment pas eu à signer de documents – vous étiez si jeunes –, ce qui a fait passer cet événement inaperçu. Le fruit de mes travaux nous appartient donc et nous sommes libres de l'exploiter comme bon nous semble.

Enfin, c'était le cas jusqu'à récemment.

Au moment où j'ai convaincu Ricardo Bellini d'appuyer mon projet, Genetix a acheté une part de notre société. La venue de ce nouvel actionnaire nous oblige donc à ratifier une nouvelle convention d'actionnaires. C'est un document aride, j'en conviens, mais important – je ne suis pas certain de bien le comprendre moi-même. Je t'invite à le lire et à le signer. Ça te permettra de demeurer actionnaire de la société et de t'enrichir lorsque tu vendras tes parts. Au fil des ans, j'ai déposé de nombreux brevets qui appartiennent désormais à l'entreprise. Qui sait combien ils vaudront dans quelques années ?

Maître Delordre viendra à ta rencontre dans quelques minutes pour répondre à toutes tes questions. N'hésite pas à lui demander des éclaircissements si certains passages te semblent obscurs.

Quand tu auras parafé le tout, remets-lui le document. Il te donnera ensuite la lettre suivante.

Ton père

Vingt-huitième lettre

Le 23 novembre

Je m'apprête à te décrire la journée la plus éprouvante de ma vie. Je t'écris d'ailleurs cette lettre de l'Hôpital général, en quarantaine, alité dans une petite salle où aucun visiteur n'est admis.

Mais commençons l'histoire depuis le début.

Je me suis levé ce matin-là en grande forme et j'ai pris la direction du laboratoire dès l'aube. En entrant chez Genetix, j'ai salué Greg, fidèle à son poste au bureau de la sécurité. Arrivé au deuxième, j'ai ouvert la porte du laboratoire, puis emprunté la direction de mon bureau comme à l'habitude.

C'est à ce moment qu'une vision d'horreur m'a assailli. En franchissant le pas de la porte, j'ai aperçu mon propre cadavre confortablement assis dans le fauteuil de mon bureau ! Mon corps était dans un tel état de décomposition que j'avais peine à le reconnaître. Rongé de l'extérieur, il n'avait presque plus de peau, laissant transparaître muscles et tendons. Çà et là saillaient un os ou deux. Seuls quelques morceaux de sarrau avaient survécu, recouvrant certains muscles d'un résidu de tissu blanc.

Incapable d'analyser l'information qu'il recevait, mon cerveau s'est mis hors tension. J'ai fui le laboratoire à toute vitesse, pris d'une panique aussi soudaine qu'incontrôlable. J'ai descendu l'escalier en trombe à la recherche de l'issue la plus proche, puis j'ai quitté l'édifice en poussant une porte de secours. J'ai couru à travers le boisé voisin, enjambant souches et bosquets à folle allure, jusqu'à ce que Genetix soit hors de ma vue – ou plutôt jusqu'à ce que mon cadavre soit incapable de m'apercevoir par la fenêtre.

Lentement, j'ai repris mon souffle, assis dans des feuilles mortes et adossé à un grand hêtre. Lentement, le brouillard s'est dissipé dans mon esprit. J'étais cependant toujours aussi confus – on l'aurait été à moins.

Quelle était cette vision inexplicable que je venais d'avoir ? Car il ne pouvait s'agir que d'une vision. Ma rétine me mentait ; mon nerf optique défaillait ; mon cortex visuel me jouait des tours.

Je ne pouvais avoir vu ce que j'avais vu. Cette histoire violait simultanément toutes les lois de la biologie et de la physique. Il devait y avoir une autre explication. Les mécanismes de défense de mon cerveau se sont alors mis en œuvre pour préserver mon équilibre mental, oblitérant une à une les images que la logique ne pouvait expliquer, effaçant progressivement tout souvenir de ma visite au laboratoire. Il n'en a bientôt subsisté aucune trace.

Rien ne s'était passé.

Ayant évacué l'impensable de mon esprit, je me suis relevé, j'ai secoué les quelques feuilles têtues accrochées à mon pantalon, puis j'ai repris la direction de Genetix. Je venais de faire disparaître cet invraisemblable début de la journée pour mieux le recommencer.

D'un pas décidé, j'ai traversé le boisé en sens inverse, puis le stationnement, jusqu'à ma voiture. J'ai respiré profondément avant de me diriger vers l'entrée principale. En entrant, j'ai de nouveau salué Greg sous son regard ahuri. J'ai refait le même trajet que la première fois jusqu'au deuxième étage.

La porte du laboratoire entrouverte laissait échapper un rai de lumière, seul signe de ma venue précédente et de ma sortie précipitée. J'y ai pénétré. Lentement, je me suis approché du cadre de la porte de mon bureau, m'immobilisant au dernier moment.

J'ai dû demeurer un quart d'heure à côté de la porte, suffisamment en retrait pour ne pas voir ce qui se trouvait de l'autre côté. Que faire ? Me sauver de nouveau dans les bois ? Non. Il fallait mettre les choses au clair et expliquer cette expérience extracorporelle avant de perdre la raison. Lequel des deux professeurs Zukerman était le vrai : le mort ou le vif ? Aussi inconcevable que cela puisse paraître avec le recul, le doute s'installait en moi. Je glissais lentement sur la pente savonneuse de la folie.

D'un œil, j'ai jeté un regard furtif à travers le cadre de la porte.

Mon cadavre se trouvait toujours là, imperturbable. Ce n'était donc pas une vision.

N'écoutant que mon courage, j'ai mis les deux pieds dans le bureau et confronté cette version putréfiée du professeur Zukerman qui siégeait à ma place.

J'ai parcouru le corps des yeux à la recherche d'un détail qui m'aurait précédemment échappé, d'un indice qui aurait pu me raccrocher à la raison. Sur la tête ne subsistait aucune trace du cuir chevelu. Sur certaines parties du visage et du cou, les muscles étaient amincis au point de laisser ressortir l'os de la joue, le maxillaire inférieur et une clavicule. Tout en parcourant le cadavre du regard, je me tâtais inconsciemment le visage et le cou de la main droite de façon à vérifier que tout y était. Des morceaux de plastique fondu sur le temporal et sur le pariétal étaient la seule trace des lunettes de sécurité. Du bout des doigts, j'ai touché au même moment les lunettes que j'avais sur la tête.

J'ai fait quelques pas vers l'avant de façon à apercevoir le bas du corps, jusque-là caché derrière le bureau.

J'ai alors remarqué que le cadavre tenait dans la main droite le téléphone, dont le plastique était intact. Le corps avait donc été massacré – ou brûlé ou rongé – avant de saisir le téléphone.

Sur les jambes du cadavre subsistaient quelques bouts de tissu bleu. En baissant les yeux, j'ai constaté que portais également un jean bleu.

C'en était trop. Les fils se sont de nouveau touchés dans ma tête, ravivant l'angoisse au point où mon cœur s'est mis à battre frénétiquement et mes pensées à s'entremêler. J'ai fui à vive allure, empruntant le même chemin que la première fois à travers l'escalier, l'issue de secours et le boisé.

J'étais de retour au pied de mon hêtre, assis dans les feuilles, haletant. Tout était à recommencer.

Je suis demeuré dans cette position pendant plusieurs heures. À travers les arbres, j'observais Genetix prendre vie comme elle le faisait tous les matins. Une à une, les voitures pénétraient dans le stationnement, tournaient, puis s'immobilisaient de façon à occuper chacune un espace libre. Un employé en descendait et empruntait le chemin de l'entrée principale, seule porte ouverte à cette heure matinale. Progressivement, la lumière apparaissait dans les locaux jusqu'à ce que la quasi-totalité des fenêtres soient éclairées.

Après un certain temps, les rayons du soleil levant ont balayé la façade de l'édifice de haut en bas, illuminant les fenêtres de lumière rougeâtre.

Vers huit heures trente, une ambulance a fait irruption dans le stationnement, suivie peu de temps après par trois voitures de police. Quelqu'un avait certainement découvert mon cadavre. Les ambulanciers et les policiers ont accouru avec l'urgence que commandait l'événement, abandonnant çà et là leurs véhicules en marche, galopant aussi vite que leur permettait leur équipement, pensant sans doute être en mesure de me sauver la vie.

Derrière les arbres, j'étais à l'abri de toute cette agitation. Pendant que j'observais la scène de loin, la forêt me protégeait. Au pied de mon hêtre, rien ne pouvait m'arriver. Dans un élan de dissociation extrême, j'en étais venu à oublier que j'étais l'acteur principal du film, étudiant les allées et venues de tous les intervenants, oubliant que mon nom devait être sur toutes les lèvres.

Un quart d'heure plus tard, une vieille Mazda rongée par la rouille s'est immobilisée derrière les voitures de police. Trébuchet en est descendu, a couru entre les autos et s'est engouffré dans l'entrée de l'édifice.

Après quelques instants, une alarme stridente a retenti. Les mains sur les oreilles, j'ai observé les employés quitter le bâtiment par toutes les issues, jusqu'à ce que l'évacuation soit complète. Il n'y avait pourtant ni feu, ni fumée.

Une flotte de camions blancs a alors pris le stationnement d'assaut. Des hommes en combinaison étanche équipés de masque à oxygène en sont descendus en toute hâte, puis ont cerné l'édifice dans une chorégraphie savamment orchestrée. À l'aide de rubans jaunes, ils ont établi un périmètre de sécurité à une dizaine de mètres du pourtour des fondations du bâtiment, repoussant vers l'extrémité éloignée la foule qui venait d'envahir les lieux.

Les policiers ont ensuite placé deux de leurs voitures de façon à bloquer l'entrée du stationnement, empêchant quiconque d'y entrer ou d'en sortir. Des employés en combinaison étanche ont commencé à recenser toutes les personnes présentes et à prendre leurs signes vitaux, notant leur pouls et vérifiant la dilatation de leurs pupilles.

Je ne sais si c'est la culpabilité ou la raison qui m'a tiré de ma torpeur – sans doute un peu des deux. Conscient que j'étais la cause des événements se déroulant sous mes yeux, je me suis senti incapable de demeurer terré derrière mon arbre un instant de plus. Je me suis levé et, lentement, j'ai marché en direction de la scène chaotique que j'observais depuis trop longtemps déjà.

En me voyant surgir d'entre les arbres, les gens ont un à un tourné la tête, s'immobilisant dès qu'ils m'avaient reconnu – tout le tapage médiatique des dernières années avait fait de moi le visage le plus connu de Genetix. La rumeur de ma mort s'était visiblement répandue comme une traînée de poudre. Plusieurs portaient la main à la bouche, incrédules devant l'apparition du fantôme du professeur Zukerman.

J'ai marché lentement jusqu'au milieu de la foule, provoquant un mouvement de recul chez ceux qui se trouvaient sur mon chemin. Une fois immobile, j'ai parcouru du regard les visages des gens qui m'entouraient, reconnaissant Trébuchet au passage.

Les hommes aux masques à oxygène ont rapidement établi un périmètre autour de moi, indiquant à tous de reculer davantage devant le danger que je semblais représenter. Lentement, sans me toucher, des hommes en blanc m'ont escorté jusque dans l'ambulance, qui m'a emmené loin de tout ce cirque.

Voilà comment a commencé ma journée.

Je continuerai le récit demain.

Ton père

Vingt-neuvième lettre

Le 24 novembre

À défaut d'avoir trouvé une île suffisamment éloignée pour m'y exiler, on m'a isolé en milieu civilisé. J'ai passé la journée seul, enfermé dans une pièce réservée aux maladies infectieuses et aux bactéries résistantes. Le personnel infirmier ne m'approchait qu'équipé de gants, de masque et d'une combinaison plastique qu'ils jetaient en sortant. À chaque ouverture de la porte, j'entrevoyais les affiches jaunes placardées dans le couloir prévenant du danger se trouvant à l'intérieur.

Mon lit était entouré d'une tente à oxygène rudimentaire faite d'une pellicule transparente allant du plancher au plafond, sorte de prison pour moi et les éventuels organismes meurtriers dont j'étais l'hôte. Un système d'aération filtrant mes exhalations créait une pression négative dans la tente de façon à empêcher mon souffle destructeur de s'échapper et d'aller faire d'autres victimes.

Les rares médecins osant me visiter me questionnaient à une distance dictée par la peur de la contagion. J'avais beau insister sur le fait que je n'avais été en contact avec aucune bactérie ni aucun agent pathogène, ils me répondaient que la sécurité du public passait avant tout. Ils préféraient se tromper en m'isolant quelques jours de trop que d'être aux prises avec une pandémie causée par un organisme inconnu issu d'une de mes étranges expériences.

Toute cette mise en scène était grotesque.

J'étais bien remis de l'épisode de dissociation dont j'avais été victime lors de ma visite matinale au laboratoire. Si le cadavre assis sur le fauteuil de mon bureau n'était pas le mien, alors pourquoi m'isoler alors que j'étais en parfaite santé ?

Une infirmière cachée derrière le même déguisement que les autres est entrée dans la chambre d'un pas déterminé. Après avoir jeté un coup d'œil furtif derrière elle pour s'assurer que la porte s'était bien refermée, elle s'est délicatement glissée sous la tente, puis s'est assise à mon chevet. Je m'attendais à recevoir une injection jusqu'à ce qu'elle retire son masque.

— Papa, j'ai cru que tu étais mort ! a lancé Sophie. Les policiers m'ont dit qu'ils avaient fait transporter ton cadavre à la morgue.

Elle a lancé son masque par terre et m'a longuement serré dans ses bras.

— Tu sais, j'ai moi aussi cru, l'espace d'un instant, que j'étais mort, ai-je laissé échapper en tentant de détendre l'atmosphère.

Sophie s'est rassise et m'a regardé, les yeux humides.

— Il faut que je te sorte d'ici. Toutes ces précautions sont ridicules.

— Laisse faire les médecins. Ils sont guidés par la peur et aucun argument raisonnable ne leur fera changer d'idée. Avec un peu de temps, leurs esprits s'éclairciront ils en viendront inévitablement à la même conclusion que nous. Nous avons mis des années à assembler un pauvre nucléotide et ce n'est pas aujourd'hui que nous causerons une pandémie. Il faudrait d'abord créer un virus ou une bactérie!

Sophie a séché ses larmes et a fini par sourire.

— Et si nous avions réussi? a-t-elle lancé après un instant de réflexion. Y as-tu pensé?

— Je n'y crois pas un instant.

— Alors comment expliques-tu les événements d'aujourd'hui?

— Je n'en ai pas la moindre idée, mais restons tout de même lucides. En admettant que nous ayons recréé une molécule de la famille de l'ARN capable de se reproduire d'elle-même, comment expliquer la présence d'un cadavre brûlé dans mon bureau?

— Je ne sais pas.

— Et, osons rêver, même si nous avions recréé LUCA lui-même, cet organisme, qui est notre ancêtre, ne peut tout de même pas nous être nocif?

— Tu as sans doute raison, papa, mais il ne se passe pas un instant sans que je lance une nouvelle hypothèse pour tenter d'expliquer ce que nous avons vu ce matin et rien ne colle.

— Moi aussi, j'ai les méninges qui tournent pendant que je suis allongé à contempler le toit de ma tente. Ta mère ne disait-elle pas toujours que tu étais ma copie conforme ?

Sophie est restée silencieuse un moment, comme si cette remarque avait fait ressurgir en elle des pans d'histoire oubliés.

— Ah, j'oubliais ! s'est-elle exclamée. Ils gardent Olivier Trébuchet en isolation dans la chambre voisine. Il a droit au même traitement royal que toi, avec la tente, les costumes ridicules et toutes les petites attentions.

— Bien, ça lui permettra de se reposer un peu. Et surtout, ça l'empêchera d'aller mettre ses pattes partout dans le laboratoire pendant mon absence. Ça me réconforte de penser que je ne suis pas l'unique menace pour l'humanité.

— Ils ont également isolé le garde de sécurité qui a découvert le corps. Vous êtes les trois seuls à avoir mis les pieds dans le laboratoire sans protection, avant l'arrivée des responsables de la santé publique. Ils craignent qu'il vous arrive ce qui est arrivé au cadavre dans ton bureau. Ils ne savent pas si l'un d'entre vous a contaminé l'homme qui est mort ou si c'est l'inverse. Bref, ils ne savent rien.

— Et que comptent-ils faire du cadavre? ai-je demandé, intrigué.

— Un responsable de la santé publique m'a dit qu'ils allaient l'autopsier. J'ai hâte de savoir ce qui s'est passé pendant cette nuit étrange.

Sophie était maintenant beaucoup plus calme qu'à son arrivée. Sa venue m'avait également fait grand bien.

— Allez, va te reposer, lui ai-je dit. Tout va bien aller. Je passerai te voir en sortant s'ils me laissent sortir avant ma mort. J'imagine que les environs du laboratoire doivent ressembler un peu aux alentours de Tchernobyl avec les barrages, les postes de contrôle et les rubans jaunes.

— Ils ne nous y donneront sans doute pas accès avant longtemps.

Sophie m'a embrassé et a quitté la chambre. Elle a remis son masque juste avant de franchir le seuil de la porte, histoire de ne pas provoquer le personnel infirmier.

Elle était à peine sortie qu'un homme corpulent est entré, vêtu de l'incontournable combinaison en plastique bleu clair.

— Professeur ! a-t-il lancé en m'apercevant.

J'aurais reconnu la voix sonore de Ricardo Bellini à travers n'importe quel masque. J'espérais ardemment qu'il ne vienne pas s'asseoir lui aussi à mon chevet.

— Ce n'était pas la peine de vous déplacer, ai-je répondu.

— Ah, mais que pensez-vous que je puisse faire d'autre aujourd'hui ? Ils nous ont mis à la porte ce matin et ils gardent soigneusement toutes les entrées de l'édifice. J'irais bien jouer au golf, mais j'ai une tempête médiatique sur les bras. Les journalistes m'appellent même sur mon cellulaire pour me demander s'il faut faire évacuer la ville.

— J'imagine le climat de panique que ces mesures doivent causer.

Une mouche s'est posée sur la pellicule en plastique de la tente à oxygène.

— Je ne vous dérangerai pas longtemps, a-t-il repris. Je voulais d'abord vérifier votre état de santé.

— Ah, pour ça, je suis en pleine forme. On n'emprisonne que les gens en état de nuire.

— Bien. Que dois-je dire aux journalistes ? Ont-ils raison de s'inquiéter ?

— Aucunement. Laissez la santé publique se débrouiller avec ça. Tout commentaire de votre part avant les conclusions des autorités serait de toute façon perçu comme une tentative de faire diversion, de minimiser la crise.

— Vous avez sans doute raison.

Bellini a fait quelques enjambées vers la sortie.

— Ah, j'oubliais ! s'est-il exclamé avant de partir. On n'a pas revu Jeff depuis hier. Profitez-en donc pour vous reposer un peu.

Sur ces mots, il a quitté la chambre.

Son dernier commentaire m'a fait craindre le pire. La visite de Bellini avait fait renaître en moi l'angoisse que Sophie avait apaisée. J'allais devoir attendre mon congé de l'hôpital pour en savoir plus.

Ton père

Trentième lettre

Le 25 novembre

N'ayant aucune information vérifiable à se mettre sous la dent, les journalistes ont couvert l'événement de façon assez créative. Le journal qu'on avait glissé sous mon petit déjeuner le lendemain matin titrait à la une: «Le professeur Zukerman se tue en tentant de recréer la vie»

Ce n'est que deux jours plus tard que j'ai recouvré la liberté, avec aussi peu d'explications que lorsqu'on m'avait emmené de force.

En quittant l'hôpital, l'infirmière de garde m'a remis un petit papier jaune sur lequel était griffonné un message.

— Tenez, professeur. Je viens à l'instant de recevoir ce message pour vous.

— Merci.

La note disait simplement: *Soyez au bureau du coroner à 14h15.*

J'ai levé les yeux vers l'horloge accrochée au-dessus du poste des infirmières. Il ne me restait que vingt minutes pour m'y rendre. Et moi qui rêvais d'une douche après ces deux jours de camping sous la tente. Ils allaient me recevoir dans l'état où ils m'avaient mis.

Lorsque je suis arrivé au bureau du coroner, Olivier Trébuchet était déjà assis dans le hall d'entrée en train de lire les nouvelles du matin. J'ai pris place en face de lui.

— Ils vous ont laissé sortir ! m'a-t-il lancé sans lever les yeux de son journal.

— Ce n'était qu'une question de temps.

— Parlez pour vous, a-t-il dit sur un ton rancunier. Vous savez très bien ce qui mijote dans la marmite qui se trouve dans votre labo ; moi pas. Avez-vous imaginé un instant tout ce qui a pu me passer par la tête pendant ces deux jours d'isolation ? Ils m'ont interdit de recevoir le moindre visiteur ; même les médecins n'osaient m'approcher.

— Mais…

— Avez-vous lu les journaux pendant votre douillet séjour ? a-t-il poursuivi, intarissable. "Un chercheur rongé par la bactérie mangeuse de chair", "Bactéries : 1, Homme : 0", ou encore le prévisible "On ne joue pas à être Dieu".

— Mais je peux…

— Et regardez ces photos, bon sang ! a-t-il crié en retournant vers moi le journal qu'il lisait. On voit des hommes avec des masques à gaz dans les épiceries, chez le quincailler, autour des écoles, partout ! Ils ont bouclé le quartier dans un rayon de trois kilomètres. Et moi, j'étais isolé dans ma chambre, seul pour jongler avec les folles théories de tous ces apprentis journalistes et les images apocalyptiques de leurs photographes. J'en ai fini par conclure que mon corps avait amorcé sa lente et irréversible dégradation jusqu'à ressembler à celui qu'ils ont retrouvé dans votre bureau. À chaque minute, je me tâtais le visage ; à chaque heure, j'allais me voir dans la glace. J'étais convaincu de vivre mes derniers jours, jusqu'à ce qu'on me relâche sans explication.

— En effet, je n'avais pas vu les choses sous cet angle. Mais, si ça peut vous rassurer, je ne détiens pas plus que vous la clef de toute cette énigme.

— La dernière fois que je vous ai vu, vous étiez un cadavre calciné assis dans un fauteuil, et puis vous êtes ressorti miraculeusement vivant quelques instants plus tard du bois qui borde le stationnement !

— Mais même en insistant fortement, ai-je répondu en tentant de me justifier, je doute que le personnel de l'hôpital nous aurait tous deux laissés aller discuter calmement à la cafétéria pour partager nos hypothèses et nos appréhensions.

Sur ces entrefaites, la réceptionniste nous a fait signe d'entrer dans le bureau du coroner.

— Ah ! Voici enfin quelqu'un qui sera en mesure d'expliquer votre mort et votre résurrection, a lancé l'inspecteur pour clore la conversation.

À peine étions-nous arrivés à la porte du bureau du coroner qu'en a surgi un grand homme aux épaisses lunettes et coiffé comme un comptable.

— Professeur Zukerman, inspecteur Trébuchet, veuillez me suivre, a-t-il dit en filant dans le corridor d'un pas rapide.

Trébuchet et moi l'avons suivi à travers un interminable dédale de couloirs, d'escaliers et de portes battantes, que nous avons d'ailleurs failli nous prendre sur la mâchoire à plusieurs reprises. La course s'est terminée devant la porte de la salle d'autopsie.

— Veuillez enfiler ça, nous a-t-il dit en nous lançant des chemises d'hôpital en coton bleues.

Une fois déguisés, nous avons pénétré dans une immense salle glaciale, où nous attendait une civière sur laquelle gisait un corps recouvert d'un drap. D'un geste habitué, le coroner a replié le drap de façon à découvrir le haut du corps.

— Voici Jeffrey Hatfield, a-t-il lancé. Du moins ce qu'il en reste.

Mes appréhensions étaient fondées.

— Je ne vous demanderai évidemment pas d'identifier le corps *de visu*, a-t-il continué. Nous l'avons déjà fait en prélevant son ADN et en effectuant un test de paternité. J'ai d'ailleurs recommandé à la famille de ne pas venir voir la dépouille, ce qui leur aurait occasionné une grande souffrance tout en nous étant complètement inutile.

Je reconnaissais bien le cadavre qui m'avait accueilli dans mon bureau. Il était cependant moins effrayant allongé sur une table d'autopsie qu'assis dans mon fauteuil. Le corps était couché sur le côté, les jambes demeurées en position assise. La position du coude et des doigts de la main droite laissait même deviner la forme du téléphone qui s'y trouvait quelques jours auparavant.

— La majeure partie du corps a été brûlée par une solution d'acide sulfurique, a expliqué le coroner. Le mélange était si concentré qu'il a littéralement fait fondre l'épiderme, le derme, les couches de graisse sous-cutanées, les fascias et la surface des muscles. Ces derniers ont d'ailleurs cuit sur place, rigidifiant le corps dans la position que vous voyez. Nous avons bien tenté d'allonger les membres en position couchée, mais nous aurions déchiré les tissus en dépliant les articulations. Certains muscles ont littéralement disparu, laissant derrière quelques résidus de tendons et des os à découvert.

D'un geste du bras, le coroner nous a alors invités à le suivre de l'autre côté de la table d'autopsie.

— Vous pouvez constater que le dos est nettement moins touché que l'abdomen. La peau y est même intacte à de nombreux endroits, ce qui nous permet de conclure que l'acide a d'abord frappé la tête, le torse, puis l'abdomen de la victime. Jeffrey Hatfield faisait face à la source d'acide sulfurique.

— Alors où sont les bactéries pathogènes qui ont déclenché la mise en branle de toutes ces mesures d'urgence? ai-je demandé.

— Il n'y en a pas, a répondu le coroner. C'est en quelque sorte la bonne nouvelle dans cette histoire : nous avons devant nous la seule victime.

— Vous ne voyez alors pas d'objection à ce que je réintègre mon laboratoire ?

— Aucune. Le réacteur est demeuré scellé. Nous avons fait quelques prélèvements autour du sceau de la cuve, sur les surfaces de travail et sur les instruments du laboratoire, mais les tests n'ont révélé aucune bactérie qu'on ne peut retrouver dans la cuisine du restaurant du coin.

— Voilà enfin une bonne nouvelle en cette triste journée.

— Nous connaissons maintenant la cause médicale du décès, a repris le coroner, mais nous en ignorons toujours les circonstances. Inspecteur, je transmettrai dès demain mon rapport à vos supérieurs, qui décideront de la suite des choses. Ma recommandation est d'effectuer une enquête approfondie afin d'éviter qu'un tel incident se reproduise. Ces documents finiront sans doute leur course sur votre bureau, puisque vous menez déjà une enquête sur ce même laboratoire. Ce sera probablement à vous de déterminer si Jeffrey Hatfield est la victime d'un accident de travail ou d'un homicide.

— J'ai en effet très hâte de tirer cette histoire au clair, a répondu Trébuchet. Voyez-vous, j'ai l'intime conviction que ce jeune homme n'est la victime ni d'un accident ni d'un homicide.

Nous avons tous deux jeté un regard intrigué en direction de l'inspecteur.

Le coroner nous a ensuite donné congé. J'en ai profité pour rentrer à la maison et prendre une douche bien méritée.

Allez, reprenons demain.

Ton père

Trente et unième lettre

Le 26 novembre

Nous avons tous regagné le laboratoire le lendemain matin. J'ai coupé les rubans jaunes avec des ciseaux, ce qui m'a donné l'impression d'inaugurer les locaux une seconde fois.

Les autorités sanitaires avaient laissé toutes les choses dans l'état où elles se trouvaient le matin du drame par mesure de sécurité, et également pour permettre aux enquêteurs de reconstruire les événements. Enfin, presque tout. Le fauteuil et le téléphone se trouvant dans mon bureau avaient disparu, emportés par les techniciens du coroner pour être analysés. C'était mieux ainsi, vu l'état dans lequel ces objets devaient se trouver après un contact prolongé avec le cadavre.

Dans la grande salle, entre le poste de travail de Jeff et le mien, le plancher était jonché de morceaux de verre. L'acide sulfurique avait mangé le ciment entre les carreaux du plancher, endommagé la surface de plusieurs tuiles et rongé les tiroirs de sa table de travail.

Trébuchet était déjà à quatre pattes au milieu des débris, deux gants aux mains et deux autres sous les genoux pour éviter de se couper ou de se brûler. Il était dans sa bulle et nous avait évacués de son univers.

Sophie était allée s'installer au fond du laboratoire pour travailler, de façon à rester loin de tout ce grabuge. Les larmes aux yeux, elle tentait tant bien que mal de se concentrer. La mort de Jeff l'avait ébranlée plus qu'elle ne voulait le laisser paraître. À la tristesse se superposait le sentiment de culpabilité d'avoir rompu leur relation quelques semaines avant sa mort.

Quand j'ai vu Sophie dans cet état, je l'ai invitée dans mon bureau. Elle ne produirait rien qui vaille dans le laboratoire tant qu'elle aurait la tête ailleurs.

— J'imagine comment tu dois te sentir, ai-je lancé pour tenter de la réconforter.

— Ne t'en fais pas pour moi, papa, je vais passer à travers. Tu as des problèmes plus urgents sur les bras. Il faut remettre le labo sur pied.

— Oublie le laboratoire un instant. La pire chose qui puisse m'arriver, ce serait que tu fasses une fausse manœuvre et que tu finisses comme Jeff. Je ne me le pardonnerais jamais.

— Tu as sans doute raison, a-t-elle répondu en baissant les yeux.

— Rentre chez toi et repose-toi. Tu sais, tu marchais à peine quand j'ai commencé mes travaux. Ils peuvent attendre encore quelques jours.

Trébuchet a fait irruption dans la porte du bureau.

— J'ai une piste, mais j'ai besoin de votre éclairage, a lancé l'inspecteur.

— Qu'y a-t-il ?

— Voici, a-t-il poursuivi. J'ai retrouvé deux couvercles sur la table de travail de Jeff. Le premier, blanc, était étiqueté "eau distillée" et le second, rouge vif, portait sans surprise la mention "acide sulfurique", tel qu'annoncé par le coroner. Qu'est-ce que ça vous dit ?

— Jeff devait être en train de diluer de l'acide sulfurique dans de l'eau, ai-je répondu. Il faut faire attention, car c'est une réaction très exothermique. Il faut absolument diluer une petite quantité d'acide dans une grande quantité d'eau pour que cette dernière soit en mesure d'absorber la chaleur dégagée par la réaction.

— Et si on fait l'inverse ? a demandé Trébuchet.

— Boum ! a répondu Sophie en semblant retrouver un peu d'énergie. Si on verse l'eau dans l'acide sulfurique, la chaleur dégagée chauffe rapidement le mélange. Il n'y a alors pas assez d'eau pour absorber la chaleur et la solution peut exploser.

— Mais Jeff savait tout ça, me suis-je empressé d'ajouter. C'est une précaution élémentaire et je n'imagine pas un instant qu'il se soit trompé.

— Vous n'avez pas remarqué qu'il était distrait dernièrement ? a demandé l'inspecteur.

— Oui… enfin… mais pas à ce point, ai-je répondu. Son horaire était devenu imprévisible et je ne suis pas surpris qu'il soit venu ici en pleine nuit s'il ne trouvait pas le sommeil.

— S'il est venu ici en pleine nuit, il n'a sûrement pas travaillé dans l'obscurité, a ajouté Trébuchet. Et s'il a allumé les lumières, les caméras auront pour une fois capté une séquence vidéo bien éclairée.

— Bien vu ! Allons voir ce qui s'est passé pendant cette nuit étrange.

Sophie et Trébuchet se sont précipités à mes côtés pendant que je déplaçais maladroitement la souris jusqu'aux derniers fichiers vidéo enregistrés par les caméras. Une longue séquence de cinquante minutes datait de la nuit du drame.

J'en ai lancé la lecture.

Comme dans toutes les vidéos précédentes, les premières secondes se déroulaient dans l'obscurité. Puis, la pièce s'est illuminée, faisant apparaître Jeff, le doigt sur l'interrupteur. Lentement, il s'est dirigé vers son poste de travail, portant son sac en bandoulière. Pendant des minutes qui nous ont semblé interminables, il a consulté ses notes, puis rassemblé divers contenants devant lui.

— Je reconnais sur ces deux contenants les couvercles blanc et rouge que j'ai retrouvés ce matin sur son bureau, a noté Trébuchet.

— Il est inutile de regarder tout le déroulement de l'expérience. L'incident se produira inévitablement vers la fin.

J'ai avancé la lecture jusqu'à la quarante-cinquième minute de la séquence vidéo.

L'image suivante montrait Jeff en train d'ouvrir le contenant au couvercle blanc. Il a ensuite versé le contenu du contenant dans un bécher de façon à le remplir aux trois quarts, puis a remis le couvercle sur le contenant.

— Il a bien versé l'eau d'abord, a noté Sophie.

Puis, avec d'infinies précautions, Jeff a dévissé le couvercle de l'autre contenant, celui qui était rouge. Il l'a soulevé et a versé un mince filet dans le bécher.

Une explosion a alors projeté le mélange dans les airs, aspergeant Jeff sur le visage, le torse et les bras.

Sophie a laissé échapper un cri strident.

J'ai interrompu la lecture de la vidéo.

— Veux-tu vraiment voir la suite? lui ai-je demandé. J'ai vu dans quel état Jeff se trouvait après sa mort et ça risque de te perturber.

— Je suis prête, a-t-elle dit en retrouvant sa contenance. Je veux savoir ce qui s'est passé autant que vous. Continue.

— Ça va être traumatisant. Je t'aurai prévenue.

Sophie s'est couvert les yeux de la main droite, espionnant l'écran à l'aide du mince filet de lumière qui filtrait entre ses doigts.

J'ai relancé la lecture.

Le choc de l'explosion a propulsé Jeff à la renverse. Il est resté hors du champ de vision de la caméra pendant de longues secondes, caché derrière sa table de travail. Il s'est soudainement relevé en se tordant de douleur, les deux mains au visage. Il a couru de façon erratique à travers le laboratoire, heurtant des tables et des tabourets au passage, réussissant contre toute attente à se frayer un chemin jusqu'à mon bureau. Une fois à l'intérieur, il s'est laissé tomber sur le fauteuil. De la main droite, il a tâtonné sur le bureau jusqu'à ce qu'il réussisse à saisir le combiné téléphonique. À ce stade, il était déjà aveugle.

Au cours des secondes suivantes, la peau du visage et des mains de Jeff est passée de rosé à rouge clair, puis à rouge sang. Pris de spasmes incontrôlables, il s'est mis à sauter et à se tordre sur le fauteuil.

À partir d'ici, la scène est devenue intolérable. Incapable d'en prendre plus, Sophie s'est masqué le visage des deux mains.

D'un clic rapide, j'ai mis fin à la lecture de la vidéo.

— Ça suffit, ai-je conclu. Nous connaissons la suite. Jeff est mort sur mon fauteuil sans parvenir à composer un seul chiffre sur le clavier du téléphone. C'est moi qui ai découvert le corps le lendemain matin.

Sophie, complètement bouleversée, se frottait les yeux que la violence des images avait rendus rouges et humides. Imperturbable, Trébuchet prenait des notes comme s'il visionnait un reportage sur la reproduction des rainettes en Amazonie.

— Jeff semblait attentif et lucide, a lancé l'inspecteur. Il portait ses lunettes de sécurité, était en pleine maîtrise de ses moyens et respectait la procédure que vous m'avez décrite. Ça exclut la thèse de l'erreur d'inattention.

— Mais alors, qu'est-ce qui a causé l'explosion ? a demandé Sophie.

Nous nous sommes tous trois regardés en silence.

D'un clic, j'ai machinalement refermé la fenêtre où avait joué la vidéo pour faire disparaître l'image de Jeff en train d'agoniser. J'ai alors aperçu un autre fichier qui se cachait sous la fenêtre, à côté de la première séquence vidéo.

— Regardez ! Il y a une autre vidéo portant la même date que celle que nous venons de visionner. Elle a été filmée une heure avant l'incident et dure à peine quatre minutes.

Sans hésiter, j'ai lancé la vidéo.

— Zut ! C'est encore tout noir, a laissé échapper Trébuchet.

— Évidemment, Jeff n'avait pas allumé les lumières à ce moment-là, ai-je répondu. Il n'était pas encore arrivé au labo.

— À bien y penser, ça soulève une autre question, a renchéri l'inspecteur. Si nous n'y voyons rien, comment LUCA – à supposer que ce soit lui qui ait déclenché les caméras – fait-il pour y voir quelque chose ? Il faut bien qu'il puisse se déplacer dans la pièce. Et si c'est lui qui a causé la mort de Jeff en faisant une quelconque manipulation, il faut même qu'il voie très bien dans l'obscurité.

Un sourire victorieux a alors illuminé le visage de Sophie. L'ayant aperçu en même temps que moi, Trébuchet s'est également retourné vers elle. Nous étions tous deux pendus à ses lèvres.

— C'est simple, a expliqué Sophie. La pièce n'était pas dans l'obscurité.

— Je ne vous suis pas, a répondu l'inspecteur. Cette image est bel et bien noire, a-t-il dit en pointant l'écran du doigt. Moi, je n'y vois rien. Vous y voyez quelque chose, vous ?

— Non, évidemment, a-t-elle répondu. Mais l'obscurité n'est pas la même pour tous. Nous n'y voyons rien, pourtant le laboratoire est éclairé en permanence. Nos yeux ne captent simplement pas la lumière qui s'y trouve. Suivez-moi, je vais vous montrer.

Intrigués, nous avons suivi Sophie hors de mon bureau, jusque devant le réacteur. Sophie a levé l'index vers les lampes que nous avions fait installer de part et d'autre de la cuve pour stimuler la réaction. C'est alors que l'évidence m'a frappé.

— La lumière ultraviolette ! Bon sang, comment n'y ai-je pas pensé plus tôt ! Pendant que nous cherchions dans le spectre du visible, LUCA utilisait la lumière ultraviolette pour naviguer dans le laboratoire. Les lampes qui irradient la cuve sont si puissantes qu'il devait s'y balader la nuit comme s'il faisait jour.

— Et comment faisait-il pour y voir clair? a demandé Trébuchet.

— Il doit posséder des lunettes sensibles aux ultraviolets, ai-je répondu. Mais maintenant que nous avons percé son secret, c'est à notre tour d'y voir clair. Nous allons bientôt découvrir tout ce qui s'est passé pendant les visites nocturnes de LUCA. Apportez toutes les séquences vidéo que nous ne sommes pas parvenus à visionner à vos spécialistes en écoute électronique. Demandez-leur de décaler la longueur d'onde des images de façon à ce que la bande ultraviolette se retrouve dans le spectre du visible. Ils ont sûrement de l'équipement capable de faire cette opération.

— Bien, a répondu Trébuchet. Je mets cette tâche en priorité. Ils devraient être en mesure de produire quelque chose d'ici la fin de la journée.

— Je vais chercher du popcorn, a dit Sophie.

Bon, je continuerai le récit demain.

Ton père

Trente-deuxième lettre

Le 27 novembre

Trébuchet a tenu promesse et, dès la fin de l'après-midi, nous étions tous trois installés dans mon bureau, prêts à voir ce que recelaient ces séquences vidéo obscures.

Nous avons d'abord visionné les images que les caméras avaient captées le soir où l'inspecteur avait épinglé la fameuse question «Qui êtes-vous?» sur la cuve.

On y apercevait l'intérieur du laboratoire, faiblement éclairé d'une teinte bleutée, alors que régnait à l'extérieur une nuit profonde. Dès la première seconde, le bras robotisé se trouvant à gauche du réacteur s'est animé. C'est de toute évidence ce mouvement qui a activé le senseur de la caméra.

D'une agilité déconcertante, le bras mécanique se mouvait dans l'espace avec l'aisance d'un bras humain, tournant sur sa base, s'allongeant à volonté, évitant tout mouvement brusque, accélérant et ralentissant avec la fluidité d'une ballerine. Sans tâtonner, il s'est déplié de toute sa portée pour aller saisir un crayon-feutre noir se trouvant sur le poste de travail de Jeff. D'un coup sec, il a frappé l'extrémité du marqueur sur le coin de la table de travail, de façon à en faire tomber le capuchon. Le robot a ensuite levé le crayon en l'air comme pour prendre un élan, puis s'est immobilisé un instant, marquant une pause à la façon d'un peintre, le pinceau vers le ciel devant une toile vierge.

À grands traits énergiques, le robot a inscrit les quatre lettres L - U - C - A sur la vitre du réacteur, évitant soigneusement de tacher la feuille portant la question. Une fois son œuvre complétée, il a délicatement déposé le marqueur sur la table, puis s'est recroquevillé dans sa position de repos, la vie l'ayant quitté aussi soudainement qu'elle l'avait gagné.

— Incroyable ! s'est exclamée Sophie.

— Ça explique comment LUCA arrivait à pénétrer dans le laboratoire sans franchir les portes, a conclu Trébuchet. Il s'y trouvait déjà.

— Un détail me tracasse depuis le début, ai-je ajouté. Au moment où vous avez collé l'affiche sur la cuve, comment saviez-vous que le suspect allait répondre à votre question ?

— Moi ? Mais je n'en savais rien, a répondu l'inspecteur. J'ai simplement eu une intuition. La question qui me titillait depuis l'apparition de la grenouille et des mouches dans le réacteur était non pas de savoir comment elles y avaient pénétré – la réponse à cette question allait découler naturellement de la réponse à la suivante –, mais bien de découvrir comment le suspect avait fait pour observer vos faits et gestes à votre insu pendant si longtemps. Pour accomplir son exploit, il devait connaître la disposition exacte des meubles et des divers objets dans le laboratoire, anticiper vos allées et venues, savoir à quel moment Sophie serait seule et absorbée dans ses travaux pour s'introduire sans être repéré, mesurer la portée exacte des différents appareils. Or, notre ami n'avait fait que deux brèves visites dans le laboratoire : la première lors de son intrusion nocturne, pendant laquelle il a saccagé votre étagère, et la seconde la veille de l'apparition de la grenouille, alors qu'il n'a eu que quelques instants pour s'infiltrer à la dérobée, déposer un petit objet dans l'armoire et filer aussitôt. Pour planifier et réussir du premier coup un numéro de cette envergure, il devait donc avoir un accès régulier au laboratoire. Il a sans doute répété la manœuvre des dizaines de fois alors que le laboratoire était vide. Ce robot n'a pas agi de son propre chef. Je suis maintenant convaincu que LUCA est ici présent et nous observe de la même façon que nous l'observons.

— Bon sang ! Les caméras ! ai-je laissé échapper.

— Ne vous retournez surtout pas ! a lancé Trébuchet en levant la main d'un geste vif. Ne les regardez pas. Continuez à fixer l'écran ; il nous épie en ce moment même. C'est son heure de gloire. Il jouit en nous observant admirer son chef-d'œuvre.

Nous pouvons cependant continuer à discuter calmement ici ; les caméras ne sont pas munies de micro et nous leur faisons dos.

— Et dire que c'est moi qui ai fait installer ce système de surveillance, ai-je dit, découragé.

— Ce n'est pas une coïncidence, a répondu l'inspecteur. Vous l'avez fait en réponse à son attaque nocturne, qu'il avait perpétrée pour provoquer votre geste. C'est d'ailleurs pour cette raison qu'il a renversé l'étagère : il voulait montrer qu'il était capable d'entrer et de sortir à sa guise, de tout casser, d'aller jusqu'à interrompre vos travaux s'il le désirait, tout ça en conservant l'anonymat. À l'image d'un prédateur qui urine pour délimiter son territoire, il établissait sa supériorité. Il devait faire naître en vous une insécurité suffisamment grande pour justifier l'installation d'un système de surveillance sophistiqué. C'était d'ailleurs plus simple pour lui de vous laisser installer les caméras que de tenter lui-même d'en dissimuler quelques-unes à l'abri de vos regards. J'ai compris qu'il nous observait à travers les caméras dès que LUCA a répondu à ma première question. Je ne vous en ai rien dit pour ne pas que, vous sentant observés, vous changiez votre comportement en présence des caméras. Au moindre soupçon, LUCA aurait immédiatement cessé toute communication et nous aurions alors perdu notre seul lien avec lui.

— Mais en nous provoquant de la sorte, il nous a également fait installer des barreaux qui risquaient de lui compliquer la vie par la suite, a fait remarquer Sophie.

— Les barreaux ne le gênaient nullement, car il savait qu'il n'aurait plus à mettre les pieds dans le laboratoire de nuit, a répondu Trébuchet. En fait, l'étanchéité parfaite du laboratoire était essentielle à la réussite de son exploit. À la façon d'un illusionniste qui fait tâter par le spectateur ses menottes et ses chaînes avant de s'en évader, notre ami devait nous convaincre que le laboratoire était impénétrable avant d'y faire naître la grenouille et les mouches. Et quelle meilleure démonstration de l'imperméabilité des lieux que de nous faire installer les barreaux nous-mêmes !

— Mais comment a-t-il pu avoir accès au flux vidéo des caméras ? ai-je demandé.

— Je pense avoir un élément de réponse, a répondu l'inspecteur. Un détail me tracassait depuis la toute première visite nocturne de notre ami LUCA : le lendemain matin, je n'avais réussi à relever aucune empreinte digitale du clavier de l'ordinateur. Or, en temps normal, j'aurais au moins dû y découvrir les empreintes de ceux d'entre vous qui avaient utilisé le clavier au cours des jours précédents – celles de Jeff, Sophie ou les vôtres, professeur. Seul un nettoyage minutieux du clavier pouvait expliquer l'absence totale d'empreintes ; les techniciens du laboratoire d'enquête y ont même décelé de faibles traces d'éthanol, un solvant qu'a sans doute utilisé LUCA pour effacer ses empreintes.

Contrairement à mon hypothèse initiale, l'homme ne portait donc pas de gants lors de son intrusion, car, dans ce cas, il n'aurait pas eu à nettoyer le clavier et vos empreintes y seraient demeurées. Ce détail constitue la seule faille de son numéro, sans laquelle je n'aurais jamais envisagé tout ce scénario.

— S'il a eu accès à l'ordinateur, il y a sans aucun doute installé un programme espion, ai-je raisonné à voix haute. Une fois son code planté sur un poste de travail relié au réseau, il pouvait traverser le pare-feu et les systèmes de sécurité de Genetix à sa guise. Nos caméras sont alors devenues ses yeux…

— … et le robot son bras, a enchaîné Sophie. Il contrôlait le bras robotisé de l'extérieur ! En passant par Internet, il a pu exécuter son petit numéro confortablement assis dans son salon.

— Regardons maintenant la vidéo captée la nuit de l'apparition de la grenouille, ai-je proposé. La première fois que nous l'avons visionnée, dans sa version infrarouge, nous avons vu les mouches apparaître dans la cuve, la grenouille naître quelques minutes plus tard, puis ses membres se développer en vitesse accélérée. Nous saurons bientôt l'explication de ce petit miracle.

La vidéo commençait comme la précédente, dans le laboratoire inhabité teinté de bleu. Cette fois, c'est la grue qui s'est mise en mouvement. Elle s'est élevée lentement, a pivoté au-dessus du réacteur de façon à accrocher l'anneau se trouvant au centre du couvercle, puis, d'un effort soutenu, a soulevé cet objet d'une tonne, un millimètre à la fois, jusqu'à ce que le sceau d'étanchéité de la cuve lâche prise. La grue a ensuite pivoté pour déplacer le couvercle latéralement et découvrir l'ouverture de la cuve.

Quelques secondes plus tard, le bras robotisé s'est à son tour réveillé. S'étirant de tout son long avec une dextérité inouïe, il a atteint la poignée de l'armoire contenant les boîtes de Petri et, d'une délicate traction, en a ouvert la porte. Le bras a refermé sa pince sur le petit objet cubique que LUCA y avait déposé la veille, appliquant tout juste la pression requise pour le saisir sans l'écraser, puis l'a soulevé en l'air pour le transporter jusqu'au-dessus du réacteur et finalement le laisser tomber dans la cuve.

Pour clore le numéro, le bras robotisé a doucement refermé la porte de l'armoire et la grue a remis le couvercle sur la cuve. Les deux robots ont repris leur position initiale, pour finalement replonger dans leur coma.

— Ça a l'air si simple quand on les regarde faire comme ça, a dit Trébuchet. Regardez, le contenant cubique flotte toujours à la surface de l'eau. Mais comment en sont sorties la grenouille et les mouches ? Et pourquoi n'en a-t-on retrouvé aucune trace le lendemain matin ?

— Ça doit être de la glace, a répondu Sophie. L'armoire contenant les boîtes de Petri est réfrigérée, ce qui a permis à la glace de rester intacte depuis la veille. La scène se déroule avant qu'on ait installé le système de réfrigération sur les parois du réacteur, donc l'eau y est à une température proche de celle de la pièce. D'ici quelques minutes, le cube aura complètement fondu.

— Ça explique également pourquoi les caméras infrarouges, qui sont sensibles à la chaleur, n'avaient pas perçu les animaux à travers la glace, ai-je ajouté. Regardez, à mesure que la glace fond, les mouches se réveillent et prennent leur envol. Le frottement de leurs ailes dégage suffisamment de chaleur pour réchauffer leur corps et les rendre visibles à l'infrarouge. La grenouille se dégage lentement de la glace, faisant apparaître ses membres un à un à mesure que l'eau du réacteur les réchauffe.

Le mystère de la création était résolu: de la glace, des mouches, une grenouille et deux robots. Le protocole était un peu moins romanesque que celui décrit dans la Genèse, mais il avait le mérite d'être reproductible.

— Regardons la vidéo suivante, ai-je proposé. Il s'agit de la séquence de quatre minutes qui a précédé la mort de Jeff.

J'en ai lancé la lecture.

Sans grande surprise, le bras robotisé a repris du service dans la pièce bleutée. Il s'est étiré jusqu'à la petite étagère qui séparait la table de travail de Jeff de la mienne, a délicatement saisi le contenant au couvercle blanc et l'a déposé au niveau du sol, sur le paillasson en caoutchouc. Il a fait de même avec le contenant au couvercle rouge.

— Il va tenter de dévisser les couvercles, a deviné Trébuchet. Mais comment va-t-il s'y prendre avec son unique pince ? C'est comme tenter d'ouvrir un pot de confiture d'une seule main.

Le robot a alors saisi fermement le couvercle blanc à l'aide des deux mandibules de sa pince et, tout en exerçant une forte pression vers le bas de façon à faire adhérer la base du contenant au tapis de caoutchouc, a fait de lentes rotations autour du couvercle. En quelques secondes, le contenant était séparé de son couvercle, que la pince a soigneusement déposé sur le tapis. Le robot a alors répété l'opération avec le contenant au couvercle rouge, pour finalement permuter les couvercles et les revisser fermement. Après avoir replacé les contenants dans l'étagère, le bras s'est recroquevillé et le robot s'est rendormi.

— Ça explique comment, ai-je dit, mais ça n'explique pas pourquoi.

— Mais qu'est-ce que LUCA avait à gagner en s'en prenant à Jeff ? a demandé Sophie.

— Je ne pense pas que Jeff était la cible de la manœuvre, a répondu l'inspecteur. L'étagère sur laquelle se trouvaient les contenants servait de cloison entre le poste de travail de Jeff et le vôtre, professeur. Et elle était accessible des deux côtés. Si Jeff n'était pas venu travailler à cette heure si matinale, vous auriez sans doute été le premier à utiliser l'acide sulfurique en le méprenant pour de l'eau distillée. C'est vous que LUCA a tenté d'éliminer.

— Ou, pour reprendre ses termes, d'exterminer…

— Maintenant que nous avons compris comment LUCA se matérialisait dans le laboratoire, je vais de ce pas débrancher les robots, a ajouté Sophie. Nous ne les activerons qu'au besoin. LUCA pourra nous observer à sa guise, mais nous serons hors de sa portée.

— Sage décision, a conclu l'inspecteur.

Olivier Trébuchet avait donc vu LUCA venir de loin. Ses instincts ne lui avaient pas menti. LUCA l'avait cependant pris de vitesse.

Bon, je m'arrête ici. Bonne nuit,

Ton père

Trente-troisième lettre

Le 28 novembre

Le lendemain, un événement extraordinaire s'est produit.

En arrivant au laboratoire ce matin-là, j'ai remarqué que l'eau du réacteur, d'ordinaire claire, était légèrement trouble. Un léger dépôt s'était également précipité dans le fond de la cuve.

Depuis quelques jours déjà, nous avions décidé de faire osciller la température du réacteur de façon à simuler les saisons – ou les périodes glaciaires, selon l'échelle de temps. L'ajout de phosphate devait stimuler la création de liens entre les riboses, les sucres qui forment l'ossature de l'ARN, et permettre de les assembler en chaînes plus ou moins longues. Ces chaînes, même très courtes, deviennent des molécules d'ARN lorsqu'un nucléotide, tel l'adénosine, la cytosine, la guanine ou l'uracile, s'attache à chacun des riboses qui les composent.

Je suis allé consulter Sophie, qui avait mis les pieds avant moi au laboratoire.

— As-tu remarqué que l'eau du réacteur est plus trouble qu'à l'habitude ? lui ai-je demandé.

— Oui. J'ai déjà prélevé un échantillon et les tests sont en cours. J'ai le pressentiment qu'on a synthétisé des molécules d'une taille importante.

Sophie m'avait encore devancé. J'ai regagné mon bureau en attendant le résultat des tests. Comme je sentais que nous allions franchir un grand pas, j'ai pris l'initiative d'appeler Ricardo Bellini.

Au moment où je décrochais le combiné, l'homme a fait irruption dans le laboratoire.

— Monsieur Bellini, mais j'allais justement vous appeler ! lui ai-je crié en redéposant le combiné.

— Ça ne sera pas nécessaire.

Attiré par la consistance étrange de l'eau, Bellini a fait quelques pas en direction du réacteur.

— Vous devriez laver la cuve plus souvent, a-t-il lancé. Les parois sont sales.

— C'est pour ça que j'allais vous appeler.

— Vous n'allez tout de même pas me demander de vous aider à laver les parois ? a-t-il lancé en riant.

— Suivez-moi.

J'ai conduit Bellini jusqu'aux centrifugeuses, où Sophie était en train de noter les résultats de l'analyse de l'échantillon d'eau. Après un moment, elle s'est retournée vers nous avec un large sourire.

— C'est de l'ARN ! a-t-elle lancé.

— Ah, c'est une bonne nouvelle ? a demandé Bellini.

— En plus, c'est un ribozyme ! a-t-elle ajouté.

— Ça se mange ? a demandé Bellini.

Sophie s'est alors jetée dans mes bras, l'éprouvette à la main.

— Papa, on a réussi ! La cuve est pleine ! Il y en a des milliards !

— J'imagine qu'on va m'expliquer, a dit Bellini, oscillant entre la joie et l'incompréhension.

Sophie a retrouvé ses esprits et ses pieds ont retrouvé le sol. J'ai entrepris d'expliquer à Bellini ce qui venait de se passer.

— La molécule qui vient de faire son apparition dans le réacteur a une particularité unique, ai-je commencé. L'ARN, tout comme l'ADN, sert de support à l'information génétique. Comme vous le savez, la suite de nucléotides qu'ils contiennent détermine la nature des gènes qu'ils portent. Ces deux molécules sont toutefois incapables de se dupliquer par elles-mêmes, car plusieurs enzymes sont nécessaires à leur reproduction. Le problème est que ces enzymes sont elles-mêmes synthétisées à partir du code génétique porté par l'ARN ou l'ADN, ce qui, dans le contexte de l'origine de la vie, pose le problème de la poule et de l'œuf : l'ARN n'a pu apparaître avant les enzymes, qui n'ont pu apparaître avant l'ARN.

— En effet, ça semble insoluble. Alors, que vient-il de se passer, au juste ?

— Nous venons de faire apparaître les deux en même temps. La molécule qui vient de faire son apparition dans le réacteur est un ribozyme. En d'autres mots, elle est à la fois une molécule d'ARN et une enzyme, ce qui lui permet de catalyser sa propre réplication. Elle est à la fois la poule et l'œuf !

— Dites bonjour à votre ancêtre ! a lancé Sophie en levant l'éprouvette.

Au même moment, une mouche s'est posée sur l'éprouvette.

— C'est étrange ! me suis-je exclamé. Je pensais que ces bestioles avaient disparu du laboratoire depuis l'arrivée de la grenouille.

Instinctivement, nous avons tous trois tourné le regard vers le bocal où vivait l'amphibien. Jean-Baptiste gisait sur le dos dans le fond du récipient, ne laissant aucun doute quant à son état de santé. Sa mort, précipitée par l'absence de soins et de nourriture, avait suivi celle de Jeff de quelques jours.

— C'est dommage que Jeff ne soit pas parmi nous aujourd'hui, a dit Sophie, une larme à l'œil.

— Oui, ai-je ajouté. Les honneurs lui reviennent autant qu'à nous.

— Allez, venez avec moi, a lancé Ricardo Bellini pour détendre l'atmosphère. Je paie le lunch. C'est un grand jour !

Nous n'avions pas encore synthétisé LUCA, mais nous venions d'assister à un événement tout aussi extraordinaire. Une molécule capable de se reproduire venait de se créer sous nos yeux à partir de composés chimiques simples.

La vie était née de nouveau !

Ce n'est peut-être pas très excitant de découvrir ces événements à travers un testament, mais c'est le seul canal de communication qui nous unit encore. J'aurais aimé partager ces moments exceptionnels avec mes deux enfants.

Sur ce, il se fait tard et je te souhaite une bonne nuit.

Ton père

Trente-quatrième lettre

Le 29 novembre

David,

Cette lettre est la dernière que je t'écrirai.

Vais-je mourir aujourd'hui, tel que je te l'avais annoncé dans la première lettre ? Rien n'indique que ce soit le cas.

Ai-je épuisé mon inspiration ? Non plus.

T'écrire va me manquer, car j'aimais bien t'envoyer ces missives quotidiennes. Tu auras malgré toi été un interlocuteur privilégié pendant la rude épreuve que je viens de traverser. Te décrire chaque soir les progrès de mes travaux de recherche et te relater les menaces dont j'étais l'objet m'aura aidé à y voir plus clair. La meilleure façon d'élucider un mystère est souvent de le raconter à un proche ou d'en coucher les éléments connus sur une feuille de papier. C'est ce que j'ai fait au cours des dernières semaines. Tu m'as permis de résoudre cette énigme et, sans t'en douter, d'élucider un des problèmes les plus complexes auxquels j'ai été confronté au cours de ma carrière.

Mais retirons nos masques avant de nous quitter.

David – ou devrais-je plutôt t'appeler LUCA? –, permets-moi de te relater l'aventure telle qu'elle s'est réellement déroulée. Tout ce que je t'ai écrit au fil des derniers jours est réellement arrivé. Je n'ai en rien altéré le récit et n'y ai rien ajouté. D'ailleurs, comment aurais-je pu travestir la vérité alors que, chaque instant qui passait, tu m'observais à travers les caméras? La seule arme dont je disposais était l'omission. Je t'ai décrit les faits tels que je les voyais – tels que tu les voyais également –, mais j'ai bien pris garde de ne jamais partager mes pensées.

Mon esprit était le seul endroit qui soit à l'abri de ton regard.

Tu peux, si tu le veux, interrompre ta lecture ici, car tu sais déjà tout ce que je m'apprête à te raconter, comme tu savais tout ce qui se déroulait dans le laboratoire avant même de recevoir chacune de mes lettres. À travers ce triste exercice, je ne t'aurai malheureusement rien appris.

Une question subsiste peut-être en ton esprit: pourquoi? Pour quelle raison obscure t'ai-je écrit toutes ces lettres? Pourquoi tant d'efforts de ma part si je t'avais déjà démasqué? Pourquoi te raconter ce que tu savais déjà? Pourquoi persister à t'appeler David plutôt que LUCA?

Reprenons l'histoire depuis le début. Tu comprendras mieux mes intentions.

Je sais que j'ai été un père imparfait, souvent à l'extérieur de la maison et absent quand j'y étais. J'ai été très sévère avec toi – sans doute trop –, plus qu'avec Sophie, avec qui j'avais plus d'affinités et une plus grande complicité. Nous ne nous sommes pas reparlé depuis que tu as quitté la maison. Entre-temps, j'ai appris par ta mère que ta jeune carrière battait de l'aile et que tu avais des ennuis financiers. Le froid qui régnait entre nous t'aura empêché de me demander de l'aide et à moi de t'en offrir. De toute façon, je n'aurais pu t'apporter qu'un soutien moral, car je ne possédais jusqu'à tout récemment que des pacotilles, dont j'ai d'ailleurs cédé la moitié à ta mère lors de la séparation.

Tout a changé lorsque Genetix a investi dans mon projet. La compagnie a acheté la majorité des actions de mon entreprise et la propriété intellectuelle des brevets sur lesquels je travaillais. Tu t'enlisais dans un gouffre financier alors que ton père valait soudainement… mais combien valait-il au juste ? Les montants de la transaction n'ont jamais été divulgués. Il te fallait cependant savoir. Était-ce une transaction symbolique ? Étais-tu soudainement devenu le fils d'un millionnaire ? Tu brûlais de connaître les montants en jeu, mais n'osais me les demander de peur de dévoiler ta cupidité.

Il n'y avait qu'une façon de mettre la main sur l'information. Un après-midi, pendant que j'étais au laboratoire, tu t'es introduit chez moi à la recherche des détails de la transaction. Tu as trouvé ce que tu cherchais dans mon bureau, au fond du second tiroir du classeur. Il y avait en tout quatre certificats d'actions de mon entreprise : un à mon nom, un au nom de ta mère et deux autres aux noms de Sophie et toi. Il ne t'a suffi que d'une simple addition pour voir tes dettes et tes ennuis financiers s'évaporer. Il était hors de question de simplement subtiliser ton certificat pour tenter de l'encaisser, car il t'aurait alors fallu obtenir l'autorisation des autres actionnaires pour le vendre. Et même en le monnayant à l'aide d'obscurs instruments financiers pour tenter de conserver l'anonymat, tu aurais inévitablement guidé les autorités financières à ta porte, car le certificat disparu aurait porté ton nom. Tu n'as donc rien emporté avec toi en quittant ma demeure ce jour-là, si ce n'est la conviction que tes soucis tiraient bientôt à leur fin.

C'était un calcul froid et cruel : tu allais échanger un père avec lequel tu ne parlais plus pour une somme d'argent qui allait renflouer tes coffres. Si tu ne pouvais voler l'argent qui te revenait, alors tu allais en hériter. Tu y gagnerais sur tous les tableaux.

Il ne te restait qu'à passer à l'acte.

Tu étais cependant incapable de commettre un tel geste. Un parricide était tout simplement au-dessus de tes forces – enfin, je préfère croire que je n'ai pas mis au monde un assassin.

Mais le ver était maintenant dans la pomme et l'idée, inéluctable, a continué à te trotter dans la tête, creusant un sillon de plus en plus profond. Incapable de la chasser, tu l'as malgré toi ressassée, raffinée avec le temps, puis développée au point où des éléments concrets sont tombés en place. « Et s'il lui arrivait un terrible accident dans son laboratoire ? Et si tout ça se produisait alors que j'étais confortablement assis chez moi ? Ce serait l'alibi parfait. »

Dès que Genetix a annoncé publiquement le début de mes travaux de recherche, les fanatiques s'opposant au projet ont commencé à me faire parvenir des lettres de menace et à occuper l'entrée de l'établissement. Tu n'y étais évidemment pour rien, mais ce climat hostile t'aura servi de toile de fond pour mener à bien tes opérations. Soudainement, des centaines de personnes s'en prenaient à ton père, devenant toutes d'éventuels suspects si un malheur devait m'arriver. C'était le camouflage parfait pour m'attaquer.

Tes études avaient fait de toi un spécialiste en protocoles de communication et en logiciels de sécurité. Mais à ton grand dam, le réseau de Genetix, bien protégé, a résisté aux attaques répétées de tous les programmes que tu avais pu créer.

Tu n'avais plus le choix : tu allais devoir t'introduire dans mes locaux pour accéder à l'ordinateur. Il était cependant impensable que tu mettes les pieds dans mon laboratoire en plein jour. Tu ne pouvais pas non plus t'introduire en pleine nuit par l'entrée principale sans franchir la sécurité. Déguisé en technicien de laboratoire, tu as réussi à tromper la vigilance des gardiens et à entrer dans l'édifice en même temps qu'un groupe de chercheurs. Habilement dissimulé sous un sarrau, des lunettes et un filet à cheveux, tu as désactivé l'alarme d'une issue de secours afin de pouvoir y pénétrer plus tard sous le couvert de la noirceur.

La nuit venue, tu as installé ton code dans l'ordinateur de mon laboratoire, puis saccagé l'étagère et laissé une note sur le mur afin de déguiser ta visite en acte de vandalisme.

En attaquant cette fois le réseau de Genetix de l'intérieur, tu as aisément percé les défenses du pare-feu. C'est là que tout a basculé. En examinant le contenu de l'ordinateur, tu as découvert qu'il était le centre d'un système nerveux insoupçonné : il contrôlait tout l'équipement électronique se trouvant dans le laboratoire. En quelques clics, tu pouvais faire dérailler toutes mes expériences, saboter mes résultats ou, mieux encore, me ridiculiser devant mes pairs.

Ton plan a alors dévié. Tu étais maintenant devenu marionnettiste et tu allais t'amuser avec ton pantin avant de le sacrifier.

Je dois avouer que le coup de la grenouille et des mouches était réussi. Tu n'as pas idée de la rage que tu as fait naître en moi. Enfin oui, tu devais te rouler par terre en regardant la scène de l'autre côté de la caméra. Et tu en as ajouté une couche en signant LUCA au bas de ton œuvre.

C'est là que tu as franchi un pas de trop. En répondant à la première question que Trébuchet a épinglée sur la cuve, tu as validé l'hypothèse selon laquelle on nous espionnait à travers les caméras. L'inspecteur a vite compris que la seule façon pour le suspect de mettre la main sur les séquences vidéo filmées par les caméras était d'avoir accès au réseau de Genetix. Il a alors demandé aux techniciens du service de police d'instrumenter le réseau de Genetix afin d'écouter toutes les communications entrantes et sortantes. Il t'a ensuite posé une seconde question. Te pensant intouchable, tu as mordu à l'hameçon et les techniciens ont pu retracer la route des messages émanant de l'ordinateur du laboratoire.

— Nous n'avons pas affaire à un débutant, m'a confié Trébuchet en me présentant les résultats de l'écoute de ses techniciens. Notre suspect a pris des précautions extraordinaires : les paquets de données étaient non seulement encryptés, mais ils transitaient par des ordinateurs se trouvant à l'Université d'Oslo, dans une entreprise manufacturière en banlieue de Munich et dans un dortoir de l'Université Stanford.

— A-t-on réussi à identifier le suspect ? lui ai-je demandé.

— Non. La trace s'arrête à Stanford. Nous avons contacté l'université, qui a identifié la source comme étant un ordinateur libre d'accès dans un de leurs laboratoires informatiques. Rien ne sert de poser une autre question à LUCA. Il se déplace rapidement, installe des relais un peu partout dans le monde et utilise des ordinateurs publics. Ce serait un peu comme jouer aux dards les yeux bandés pendant que la cible se déplace.

Je n'en ai rien dit à Trébuchet à ce moment-là, mais cette information m'a été suffisante pour identifier le suspect. Mon fils avait étudié à l'Université d'Oslo, pour ensuite faire une maîtrise à Stanford et un stage en entreprise à Munich. La coïncidence était trop forte…

Tu ne peux imaginer ma détresse. Mon propre fils attaquait mon laboratoire et sabotait mes expériences. Même si nous n'étions pas en bons termes, tu n'avais pas encore franchi la ligne de l'impardonnable. Je ne pouvais me résoudre à te livrer à la police simplement pour avoir saboté une étagère et mis une grenouille et des mouches dans le réacteur. J'avais espoir que ton entreprise s'arrêterait là et que tu reviendrais à la raison.

Cependant, quelques jours plus tard, Trébuchet a réussi à me convaincre que LUCA voulait ma mort et il semblait convaincu qu'il parviendrait à ses fins. Pour l'inspecteur, ce n'était qu'une théorie dictée par l'expérience, mais pour moi, qui détenais des informations additionnelles, c'était bien plus : je savais qu'on avait fouillé le tiroir de mon classeur et je connaissais le vrai visage de LUCA. En combinant toutes les données, l'intuition de Trébuchet est devenue pour moi une certitude : tu allais tenter de me tuer pour mettre la main sur les actions et les liquider.

Ça changeait tout.

J'étais prêt à te pardonner quelques gestes immatures, mais pas mon assassinat. Un léger souci m'empêchait cependant de te livrer immédiatement aux autorités : tu étais actionnaire de mon entreprise et la dernière chose dont j'avais besoin était d'avoir un associé en prison, qui pourrait paralyser toutes les transactions touchant le capital-actions de mon entreprise. De plus, même en modifiant mon testament pour te déshériter, je ne pouvais t'enlever les actions qui étaient déjà à ton nom. Je devais donc te les reprendre à ton insu.

C'est à ce moment qu'a débuté mon absurde épopée : je devais regagner ta confiance afin de te faire ratifier une nouvelle version de la convention d'actionnaires. Ce nouveau document allait te faire perdre tous les droits que tu détenais dès l'instant où tu deviendrais l'objet d'une enquête criminelle. Il permettrait également aux autres actionnaires d'acheter tes actions pour une bouchée de pain si tu étais reconnu coupable.

Il ne restait plus qu'à te convaincre de signer le document modifié.

La tâche s'annonçait ardue. Après avoir envisagé de nombreux scénarios, j'ai retenu le plus improbable : j'allais rédiger mon testament et te faire croire à ma mort. Le document ne tiendrait cependant pas sur une page, car il devait me permettre de regagner progressivement ta confiance tout en te faisant miroiter l'héritage comme une carotte au bout d'un bâton. J'étais loin de me douter à l'époque que je t'écrirais tant.

Alors voilà où nous en sommes : tu as non seulement perdu les actions que tu détenais, mais également le droit à celles dont tu aurais pu hériter.

Au moment où tu as signé la nouvelle convention d'actionnaires, je pensais taire ta culpabilité aux autorités et en rester là. Tu n'avais après tout plus aucun motif pour me tuer et tu avais reçu une punition à la mesure de tes ambitions. Pourquoi alors te livrer aux enquêteurs ? Je ne voulais pas non plus d'un fils en prison.

Mais ça, c'était avant la mort de Jeff. Tu m'as forcé la main en devenant un meurtrier. J'ai alors immédiatement remis une copie de cette lettre à Trébuchet.

Mon cher fils, si tu lis ces lignes, c'est que je suis vivant. J'aurais préféré qu'on se revoie en de meilleures circonstances, mais les événements en ont voulu ainsi.

Si tu lis ces lignes, c'est également que tu es coupable d'avoir tenté de m'assassiner et d'avoir au passage enlevé la vie à Jeff, ce dont je ne te pardonnerai jamais.

Si tout se déroule comme prévu, tu es toujours confortablement assis sur la chaise qui grince dans la salle de conférence de Me Delordre. Lorsque tu reprendras tes esprits et ouvriras la porte pour en sortir, l'inspecteur Trébuchet et ses hommes t'intercepteront dans le couloir pour procéder à ton arrestation.

Je pensais initialement être présent pour te revoir une dernière fois avant qu'on t'emmène, mais je t'ai tant raconté de choses ces derniers jours que je n'ai finalement plus rien à te dire.

Adieu, LUCA.

amÉrica

Dans la même collection :

AQUIN Philippe, *La Route de Bulawayo*, roman, 2002.

BARBEAU-LAVALETTE Anaïs, *Je voudrais qu'on m'efface*, roman, 2010.

BERNARD Marie Christine, *Mademoiselle Personne*, roman, 2008.

BERNARD Marie Christine, *Sombre Peuple*, roman, 2010.

FONTAINE Nicole, *Olivier ou l'inconsolable chagrin*, roman, 2009.

GAGNON Marie-Claude, *Rushes*, roman, 2005.

GAGNON Marie-Claude, *Murmures d'Eaux*, roman, 2007.

GAGNON Pierre, *C'est la faute à Bono*, roman, 2007.

GAGNON Pierre, *Je veux cette guitare*, nouvelles, 2008.

GASQUY-RESCH Yannick, *Gaston Miron, le forcené magnifique*, essai, 2003.

GAUMONT Isabelle, *Subordonnée*, roman, 2007.

GRAMONT Monique de, *Adam, Ève et...*, roman, 2006.

GRAMONT Monique de, *Le Piège à fou*, thriller psychologique, 2008.

GRAMONT Monique de, *Méchants voisins*, roman, 2009.

GRÉGOIRE Paul, *Un hiver au P'tit Hippolyte*, roman, 2011.

JIMENEZ Vania, *Le Seigneur de l'oreille*, roman, 2003.

KATTAN Naïm, *Le Veilleur*, roman, 2009.

KATTAN Naïm, *Le Long Retour*, roman, 2011.

KILLEN Chris, *La Chambre aux oiseaux*, roman, 2009.

KORN-ADLER Raphaël, *São Paulo ou la mort qui rit*, roman, 2002.

KORN-ADLER Raphaël, *Faites le zéro…*, roman, 2003.
LABRECQUE Diane, *Raphaëlle en miettes*, roman, 2009.
LABRECQUE Diane, *Je mourrai pas zombie*, roman, 2011.
LATENDRESSE Maryse, *La Danseuse*, roman, 2002.
LATENDRESSE Maryse, *Pas de mal à une mouche*, roman, 2009.
LATENDRESSE Maryse, *Quelque chose à l'intérieur*, roman, 2004.
LECLERC Michel, *Le Promeneur d'Afrique*, roman, 2006.
LECLERC Michel, *Un été sans histoire*, roman, 2007.
LECLERC Michel, *La Fille du Prado*, roman, 2008.
LECLERC Michel, *Une toute petite mort*, roman, 2009.
LEFEBVRE Michel, *Je suis né en 1951… je me souviens*, récit, 2005.
LOCAS Janis, *La Seconde Moitié*, roman, 2005.
MALKA Francis, *Le Jardinier de monsieur Chaos*, roman, 2007.
MALKA Francis, *La Noyade du marchand de parapluies*, roman, 2010.
MALKA Francis, *Le Violoncelliste sourd*, roman, 2008.
MARCOUX Bernard, *Ève ou l'art d'aimer*, roman, 2004.
MARCOUX Bernard, *L'Arrière-petite-fille de madame Bovary*, roman, 2006.
RAIMBAULT Alain, *Roman et Anna*, roman, 2006.
RAIMBAULT Alain, *Confidence à l'aveugle*, roman, 2008.
SÉGUIN Benoit, *La Voix du maître*, roman, 2009.
ST-AMAND Patrick, *L'Amour obscène*, roman, 2003.
TREMBLAY Louis, *Une vie normale*, roman, 2007.
TROTTIER Yves, *Nevada est mort*, roman, 2010.
VILLENEUVE Johanne, *Mémoires du chien*, roman, 2002.

Suivez-nous

Achevé d'imprimer en mars 2012
sur les presses de l'imprimerie Gauvin
Gatineau, Québec